誰にも「脳」を支配されない

シン・情報戦略

情報爆発時代のサバイブ術

米重克洋
Katsuhiro Yoneshige

はじめに

新型コロナウイルスの流行、ロシアのウクライナ侵攻、資源価格の高騰や物価の上昇――世論を震わせ、社会を不安に陥れる出来事が続く時代だ。そして、**社会も経済も複雑系であるがゆえに、これらの問題の背景や全貌を一般市民である私たちが理解するのはとても難しい。**そんな出来事について、専門的見地から明快に解説し、より深い理解を助けてくれる専門家やジャーナリストらがテレビの報道番組に多数出演している。

彼らの足跡をたどると、最近は皆ほぼ例外なく**SNSやWebで積極的かつ自由に情報を発信し、より確かな情報や解釈を広く社会に伝えようとしている。**そして、その発信を多くのフォロワーが長年支持している。その土台をもとに、テレビに「進出」しているわけだ。

これらは今までと変わらないメディア報道の姿のように見えて、実は目新しい現象である。かつてはものの順序が逆だったのだ。

従来は、新聞などのマスコミが今よりもはるかに身近でなじみやすい情報源として社会的に認知され、活用もされてきた。「新聞を多読して大量の情報を渉猟し、自分の血肉にしていく」といった情報収集法も「鉄板」のスキルとして広く語られていた。

だが、今は専門家や当事者がSNSなどを通じて自ら発信する時代だ。それゆえ、とりわけ特定のテーマを深掘るような情報収集であれば、その速さや網羅性において（時には正確性においても）新聞より優れた選択肢はたくさんある時代になっている。

結果、従来の「新聞やテレビを通じて著名になった人物が権威を獲得して、より強い発信力を手にしていく」といった順序とは異なり、一人で自ら発信し始めた個人がネットで大きな発信力を獲得し、マスコミでも活躍していくようになっている。まさに、情報流通

の主役がマスコミからインターネット、SNS、Webへと大きく移り変わる中で起きた逆転現象である。

一方で、SNSやWebでは特にコロナやそのワクチン、ロシアのウクライナ侵攻といった話題をめぐって、**信じられないようなデマや非科学的な言説、陰謀論が横行してきた現実もある。**残念ながら、それらを流布するのは一握りの「変わった人たち」などではなく、時として著名人や社会的地位の高い人物であったりもする。そして、**その言説が他人の生命や健康、財産を脅かすリスクをもたらすことすらある。**

世はまさに「1億総メディア化」の時代であり、つまりは「消費者の発信する時代」だ。今や多くの人が自ら社会に広く情報を発信、拡散する力を持ち得る。そして、**社会で流通する情報量自体も爆発的に増えた。**結果、多くの人が、それらを適切に見極める準備がないまま、様々なデマや虚偽の情報、陰謀論や不確かな言説に自然に接触する機会を持つようになってしまった。**その背後には、あえて情報を使って私たちの「脳」に影響を及ぼし、**

自らの利益につなげようとする発信者が多くいる。それは時にインフルエンサーであったり、世論を導いて自らに有利な政治情勢を実現したい政治家や権力者であったり、あるいは後の章で紹介する「デジタルカルト」の主宰者であったりする。

こうして、一体何が「確かな情報」なのか、あるいは何が自分にとって真に「価値ある情報」なのか、誰にもよく分からない時代になりつつあるのだ。

この状況を眼前にしながらも、報道機関は膨大なデマや不確かな情報の拡散・流通に全く対抗できていない。本来は「確かな情報をより速く社会に供給する」役割を担うことを期待され、あるいは自認してきたはずだが、社会の情報流通の変化に合わせて収益構造を変化させることができず、その体力を喪失し始めている。

筆者は「記者ゼロのＡＩ通信社」を創ることを通じて、こうした社会的課題を克服すべく「新しい報道機関」モデルの構築に挑戦している、報道ベンチャー・ＪＸ通信社の創業者だ。

JX通信社は、特にジャーナリストや報道機関勤務の経験もない筆者が、新聞、テレビニュース好きの単なる「ニュースオタク」だった時代に学生起業した会社だ。従来の報道取材の現場は、とにかく人海戦術が基本でアナログな業務フローが多い。そこに、AIやビッグデータを土台に様々な出来事を捉え、適切に伝えるためのテクノロジーやノウハウを開発し、大量に持ち込んできた。

例えば、**SNSなどのビッグデータから災害、事故、事件などのリスク情報をAIで収集・分析する「FASTALERT」（ファストアラート）**は、NHKと全ての民放キー局、多数の全国紙・地方紙をはじめとした、全国の大半の報道機関で活用されている。実は、皆さんが報道番組でよく見かける「視聴者提供」のクレジットのついた動画は、その大半がFASTALERTを通じて発見、収集されているのだ。最近は政府・自治体やインフラ企業などの危機管理、製造業や物流企業のサプライチェーンリスク管理などの用途でも幅広く使われている。

ＦＡＳＴＡＬＥＲＴと同様の**速報検知・解析技術を用いて開発したニュース速報アプリ「ＮｅｗｓＤｉｇｅｓｔ」（ニュースダイジェスト）**は、ニュースをどこよりも速くユーザーに届けるとともに、ユーザー自らも「ニュースのタネ」となる情報を投稿することで地域の安全・安心にも寄与することができるしくみだ。先ごろ６００万ダウンロードを突破した。

また、**選挙の情勢を人海戦術ではなくテクノロジーでより速く、高精度に可視化するしくみ（ＪＸ通信社　情勢調査）**も、全国各地で多くの新聞社やテレビ局に活用されている。選挙報道に絶えずコスト縮減圧力がかかる中で、従来以上に正確で充実した選挙報道を実現したい。そんな思いで調査手法を開発し、それを効果的に表現するデータジャーナリズムのノウハウも同時に探究している。

本書は、これら**テクノロジーでビジネスとジャーナリズムの両立を実現すべく「報道の機械化」**というミッションに取り組んできた筆者が、現代の情報流通の構造を見渡し、その結果生じた「消費者が発信する時代」もとい「情報爆発の時代」の光と影を見つめ、**私たち一市民がとり得る最善の「情報戦略」を考えるものだ。**

今を生きる私たちは、情報爆発の時代にあっても、自らの意思決定や行動のためにより良い情報のインプットを必要としている。日々膨大な情報を無意識に追いかけ、時に溺れながらも自分の仕事のうえでのヒントを探している。あるいは衣食住に関わることも、様々な人々の発信に無意識に影響を受けながら意思決定している。

膨大な情報を集め、活用するにあたり、**間違っても他人に「脳」を支配されないこと。**あくまで、自らの価値判断で知るべき情報を集め、自らその信頼性を確かめて、それをもとに自ら最善の意思決定をしていく。この情報爆発の時代にあって、その精度をいかに上げられるかを一緒に考えていきたい。

そのために、嘘や極論に騙されず、あくまで「ファクトドリブン」で事実と意見を切り分けて情報を咀嚼するための考え方、あるいはデータを正確に読み解き背景を見出すコツ、更には道具としてのテクノロジーを使ってより効率的に情報を集める手段についても紹介していく。

今後ますます過酷になる「消費者が発信する時代」もとい、不確かで危うい「情報爆発の時代」をどう生き抜くか。あなたにとって、本書がその大きなヒントになることを願っている。

2023年6月

米重克洋

■目次

第2章 良質な情報が「有料の壁」の向こう側に流れるメカニズム

53

良質な情報を入手するにはお金がかかる／「フォロー」「フォロワー」の概念に依存しないアルゴリズム／新たなアルゴリズムで炎上の「閾値」が下がった／1％の熱烈な支持を得られればいい／従来の報道機関のジレンマ／有料記事のモデルとなった日経新聞

第3章 消費者が発信する時代の光と影、報道産業の3大課題、その解決策

確かな情報を迅速に届ける／公共的役割を担えなくなってきた報道機関／ビジネスとジャーナリズムの両立／何が事実で何が不確かな情報なのか？／情報爆発という現実に追いついていない／報道産業の3つの構造的課題／報道産業の負のスパイラル／テクノロジーを動員した報道産業革命

第4章 OSINT全盛時代 ビッグデータの海から価値ある情報だけを集める

ウクライナ侵攻で注目。新時代のOSINT／「視聴者提供」情報もまたOSINT／東日本大震災が大きな転換点に／取材する価値のある情報をどう見つけ出すか／FASTALERTが機能し始めた／「ネットやSNSだけで取材して楽をしようとするな」／地震や水害などの大規模災害時に真価を発揮／デマの可視化にAIをフル活用／痕跡が残りにくい被害もデータとして蓄積／地域の「自助・共助・公助」に貢献する

第5章
アンケートで世論やマーケットを知る

選挙報道はデータに対して曖昧だった／「情勢報道文学」の用語には一定の尺度がある／儲からないが、重要な選挙報道／定量調査の分析を学ぶ最高の教材

市場における「ゲームのルール」を把握する

選挙の戦略はシンプルだ／2022年3月の石川県知事選挙のケース

飲食店は立地が7割、選挙も地盤が7割？

選挙情勢の将来を見通すこともできる／ゲームのルールを適切に見極めることが肝要

第9章
「他人に脳を支配させない」情報収集のための武器

従来の量的なアプローチとは発想の転換を／積極的に情報収集する対象のジャンルを絞り込む／自分の情報収集を手伝ってくれる「エージェント」／信頼できるエージェントの見分け方／事実と意見の切り分けが重要／「両論併記」が公平、公正とは限らない理由／情報は発信することでより集まってくる／「良い」情報収集をするのは極めて面倒で負担が大きい時代

第10章

質の高い情報収集を習慣化するためのTIPS

情報収集をより楽に、効果的に行うために／Twitterのリスト機能を活用する／翻訳サービスDeepLをフル活用／ChatGPT活用上の注意点／記録ツール「Notion」とメモ帳アプリの組み合わせ／ハイスペックのPCを情報収集の中心に／新しいツールに触れること＝長期的な未来にベットすること

装丁／ Zapp!　白金正之
ＤＴＰ制作／(株)キャップス
校正／麦秋アートセンター
編集協力／ナフル
撮影／平野晋子

第1章

「国民的○○」が消えた――個人がマスコミ以上の力を持つ時代に

「家にテレビはありますか？」

この質問ほど、回答にジェネレーションギャップを感じる質問はないかもしれない。

筆者は1988年生まれであり、テレビに育てられた一方で、幼い頃からインターネットやPC、携帯電話に触れていた「デジタル・ネイティブ」とも言われる世代でもある。同世代の友人や知人で、家にテレビがないという人の話はあまり聞かない。時にはテレビ番組で取り上げられた話題で会話するし、筆者自身がテレビに出演すると連絡が来る。自分より上の世代の人からも、家にテレビがないという話を聞いたことは恐らく一度もない。

一方で、会社でともに仕事する20代の社員や10代の大学生インターンに話を聞くと、随分様子が違う。**「家にテレビがない」という人に体感で2分の1くらいの確率で出会うのだ。**後述するが、筆者の経営するJX通信社は、報道ベンチャーとしてNHKと全ての民放キー局をはじめとした日本中の大半の地上波テレビ局を顧客としている。そんな会社でも、テレビを持たない人が大勢いるのだ。大手量販店でも、単身者や学生をターゲットに、チューナーレスでＹｏｕＴｕｂｅやＮｅｔｆｌｉｘ、ＡＢＥＭＡのような動画サービスを見ることしかできないテレビ端末が多く販売されている。

実際、こうした現象は統計データでも確認することができる。ＮＨＫ放送文化研究所が定期的に行っている「国民生活時間調査」によれば、２０１５年から２０２０年にかけて、テレビの行為者率つまりテレビを見ている人の割合は85％から79％に減少している。この減少幅は些細なものに思えるが、年齢層別に見ると、若年層の離脱はかなり大きい。10～15歳では78％から56％に減少、16～19歳は71％から47％に減少、20代でも69％から51％と、２０２０年の時点で20代以下ではおよそ半分の人がテレビを見ていないことが分かっている。

既にお気づきのように、**テレビを見なくなった人は、インターネットで大半の情報を得**

図表1　年齢層別・テレビの行為者率（1日／平日）

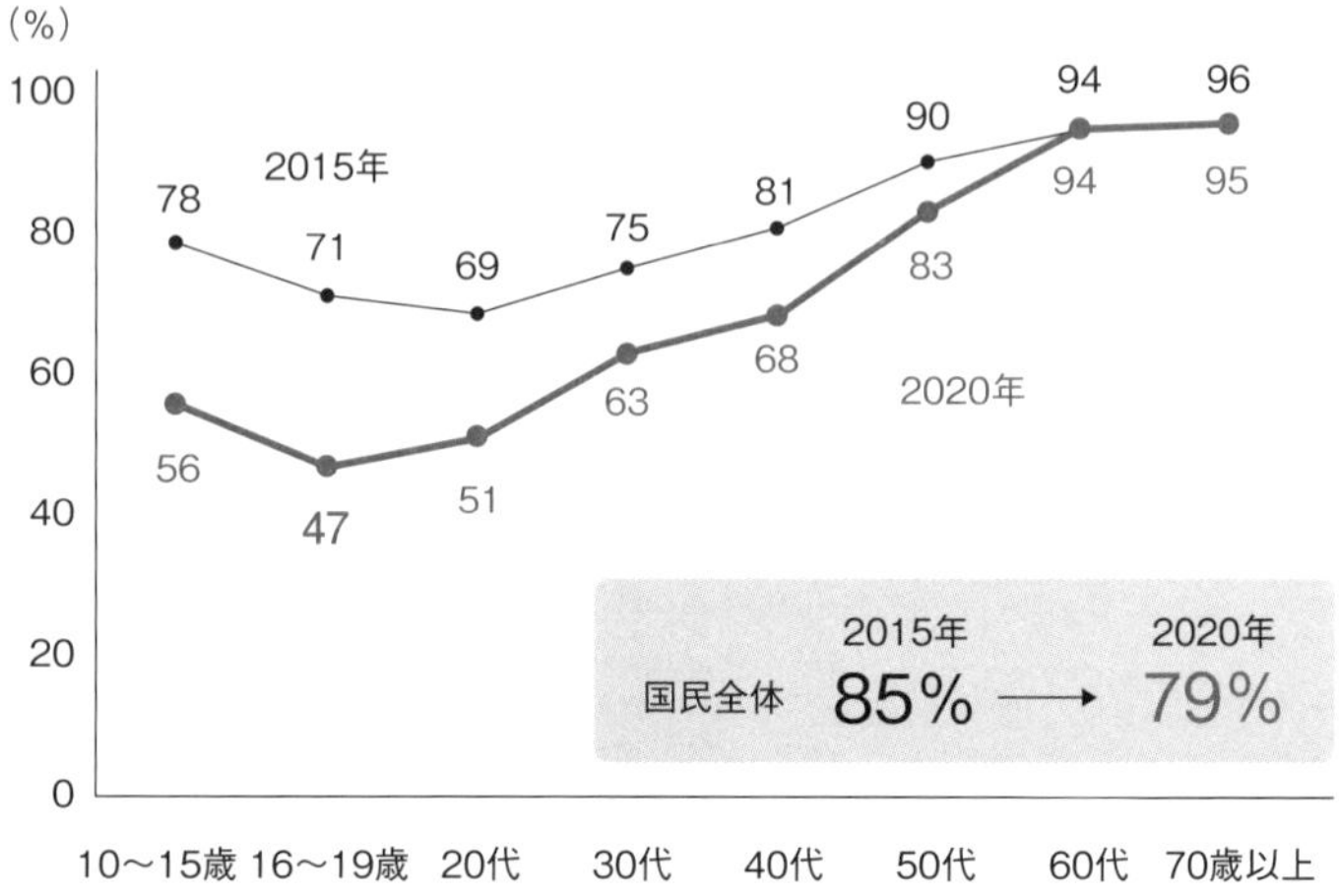

※NHK放送文化研究所「国民生活時間調査2020」より

る生活をしている。同じNHK放送文化研究所の調査（2020年）でも、インターネットの行為者率が16〜19歳は80%に達しているのに対して、テレビは47%に過ぎない。20代でもインターネットが73%に対して、テレビは51%とやはり大きく下回っている。2020年の時点でこうだから、今（執筆時は2023年4月）はもっと差があるだろう。

テレビを家に置いていない、紙の新聞はとっくにやめた、テレビ番組や新聞記事が周囲であまり話題にならなくなった、ニュースはYouTubeとTwitterで見る、子どもにテレビタレントの話をしても通じず、逆に知らないＹｏｕＴｕｂｅｒの話をされた……。

こんなエピソードは、40代、50代の読者の皆さんの多くに心当たりがあるはずだ。そんなところからも、漠然とマスコミの発信力の低下を感じている人は多いのではないだろうか。

新聞や雑誌ではなくスマートフォンを手にする

もちろん、かつてはそうではなかった。20年前、２０００年代前半、筆者は毎日、東京から横浜まで電車通学をしていた。その頃、電車で隣や向かいに座る多くの人は新聞を読んでいた。筆者も家庭で新聞を購読していたためか新聞好きの習慣がつき、家から持ち出した新聞を見よう見まねに四つ折りにして、電車内で読んでいた。駅構内のキオスクでは、新聞が筒状にうずたかく積み上げられていた。網棚の上には、読み捨てられた雑誌や新聞がよく置いてあり、時にはそれをとって読んでいる人もいた。

いつの間にか見なくなった光景だ。人々は、新聞や雑誌ではなくスマートフォンを手にしており、ゲームや動画、ＳＮＳを楽しんでいる。**スマートフォンを通じて情報に接したり、コンテンツを消費したりする習慣は電車内に限ったことではなく、家や外出先でも同様だ。**こうして、マスコミの力の源泉であったところの消費者との接触時間、タッチポイントが大きく失われた。

その実相をデータで確認すると、なかなか強烈だ。博報堂メディア環境研究所が毎年行っている「メディア定点調査」によれば、消費者の携帯電話・スマートフォンの１日あたりの接触時間は２００６年には11・１分だったが、２０２２年には１４６・９分と13倍以上に伸びている。一方で、テレビは１７１・８分から１４３・６分に２割近く減少し、新聞に至っては32・３分から12・７分へと６割以上も減っている。平均をとる調査データの性質上、一人ひとりが新聞を読む時間がおしなべて減ったというよりは、そもそも新聞を

図表２　各種メディアをどのくらい見たり利用しているか？（１日あたり／週平均）

Q. あなたは、自宅内・外を問わず、各情報メディアを、どのくらい見たり利用したりしていますか?

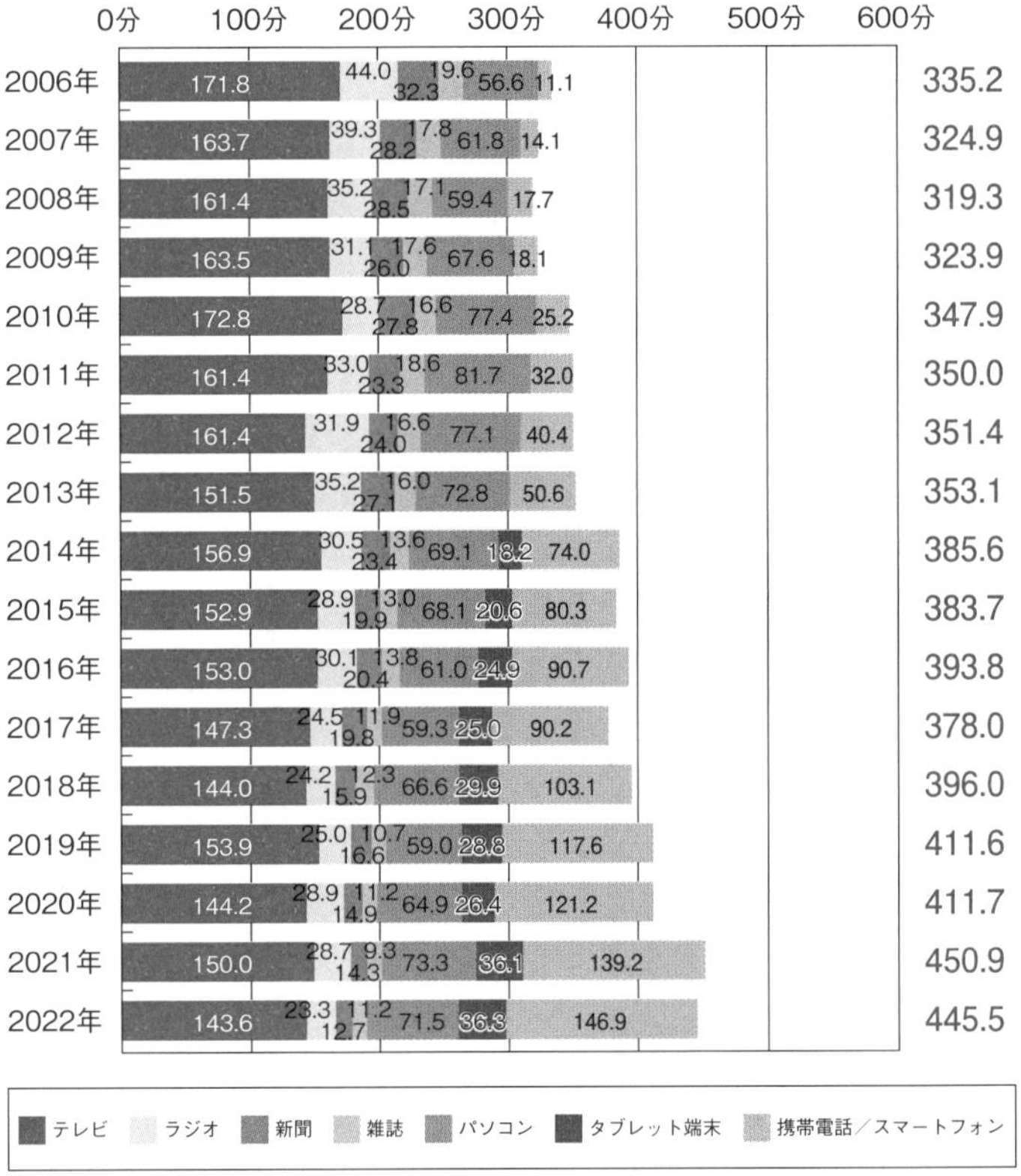

※博報堂メディア環境研究所「メディア定点調査」より

図表3　新聞の発行部数の推移

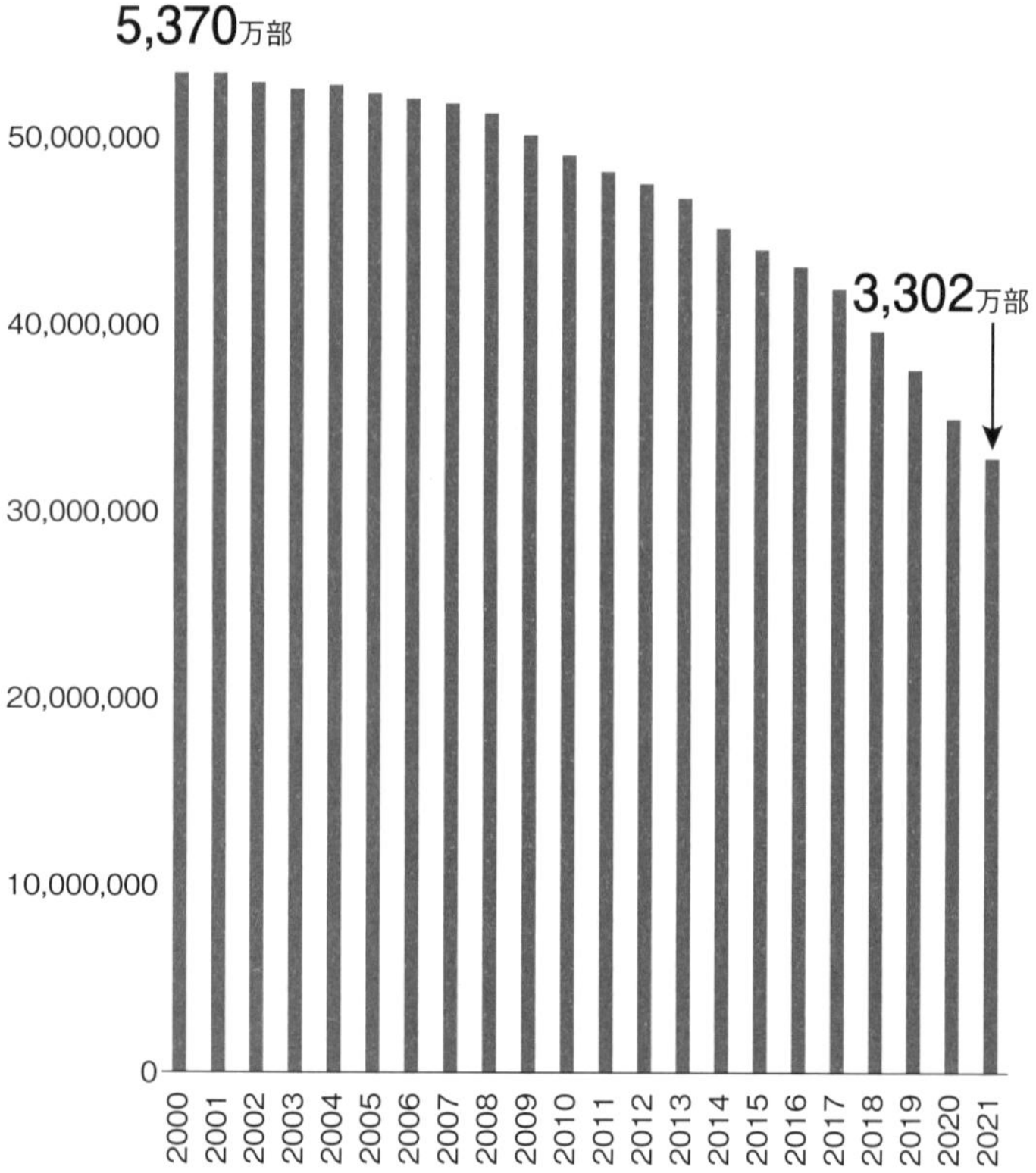

※日本新聞協会調べ

一切読まない人が増えたと解釈すべきだろう。

実際、他のデータで見ても**新聞の購読者は大きく「消失」している。**日本新聞協会の調査によれば、国内の新聞発行部数は2000年に5370万部だったのに対して、2021年は3302万部と実に4割近く落ち込んでいる。国内はおろか世界でも最多の発行部数を誇っていた読売新聞も、1990年代半ばから2000年代にかけては発行部数が1000万部を超えていたが、2022年上半期には686万部まで減少した。

その結果、大勢の新聞読者へのリーチを期待していた広告主が新聞広告から離れた。電通が毎年まとめている「日本の広告費」によると、国内の新聞広告費は2000年には1兆2474億円あったが、2022年には3697億円と、20年強で実に7割もの減少幅となっている。発行部数の減少以上に加速しており、遠からず市場そのものがなくなるのではないかとすら感じるような勢いだ。

図表4　2022年上半期（1～6月）の平均発行部数

2022年上半期(1-6月)平均部数（▲=減）

		2022年上半期	前年同期比	増減率(%)
朝日新聞				
	東京本社	2,484,878	▲246,159	▲9.0
	大阪本社	1,132,434	▲128,236	▲10.2
	名古屋本社	232,834	▲28,093	▲10.8
	西部本社	359,744	▲43,255	▲10.7
	北海道支社	88,623	▲7,203	▲7.5
	合計	4,298,513	▲452,946	▲9.5
毎日新聞				
	東京本社	744,164	▲38,426	▲4.9
	大阪本社	795,607	▲22,377	▲2.7
	中部本社	61,796	▲3,947	▲6.0
	西部本社	311,961	▲12,946	▲4.0
	北海道支社	20,186	▲474	▲2.3
	合計	1,933,714	▲78,170	▲3.9
読売新聞				
	東京本社	4,139,517	▲204,441	▲4.7
	大阪本社	1,820,053	▲55,841	▲3.0
	西部本社	530,368	▲28,870	▲5.2
	北海道支社	160,869	▲7,396	▲4.4
	中部支社	133,930	▲5,930	▲4.2
	北陸支社	75,485	▲3,892	▲4.9
	合計	6,860,222	▲306,370	▲4.3
産経新聞				
	東京本社	429,991	▲66,943	▲13.5
	大阪本社	596,302	▲112,680	▲15.9
	合計	1,026,293	▲179,623	▲14.9
日本経済新聞				
	東京本社	1,048,212	▲73,555	▲6.6
	大阪本社	432,008	▲27,013	▲5.9
	札幌支社	29,252	▲5,737	▲16.4
	名古屋支社	128,241	▲14,817	▲10.4
	西部支社	116,164	▲12,071	▲9.4
	合計	1,753,877	▲133,193	▲7.1
中日新聞		1,927,216	▲93,171	▲4.6
東京新聞		394,198	▲13,579	▲3.3
北陸中日新聞		79,476	▲3,020	▲3.7
日刊県民福井		30,394	▲194	▲0.6
The Japan News		12,712	563	4.6
Japan Times/New York Times		18,382	—	—
The Japan Times Alpha		24,524	—	—
朝日小学生新聞		71,889	▲1,661	▲2.3
朝日中高生新聞		41,166	▲1,962	▲4.5
読売 KODOMO 新聞		208,607	2,929	1.4
読売中高生新聞		88,977	▲1,182	▲1.3
北海道新聞		854,303	▲27,015	▲3.1

	2022年上半期	前年同期比	増減率(%)
道新スポーツ	29,497	▲1,966	▲6.2
十勝毎日新聞	73,863	▲2,106	▲2.8
東奥日報	195,990	▲797	▲0.4
デーリー東北	90,679	▲525	▲0.6
秋田魁新報	205,079	▲269	▲0.1
岩手日報	176,288	▲1,621	▲0.9
河北新報	382,997	▲9,302	▲2.4
山形新聞	183,941	▲1,527	▲0.8
福島民報	224,238	▲726	▲0.3
福島民友	156,786	▲3,820	▲2.4
下野新聞	277,032	▲3,630	▲1.3
上毛新聞	270,380	▲8,218	▲2.9
茨城新聞	122,747	▲102	▲0.1
神奈川新聞	138,977	▲9,496	▲6.4
静岡新聞	537,048	▲14,258	▲2.6
山梨日日新聞	174,491	▲2,877	▲1.6
信濃毎日新聞	412,598	▲10,757	▲2.5
新潟日報	381,636	▲10,005	▲2.6
北日本新聞	208,161	▲2,011	▲1.0
北國（富山）新聞	316,294	▲7,831	▲2.4
福井新聞	172,101	▲2,481	▲1.4
岐阜新聞	133,110	▲3,386	▲2.5
京都新聞	341,652	▲29,495	▲7.9
大阪日日新聞	5,272	▲112	▲2.1
神戸新聞	408,101	▲13,376	▲3.2
紀伊民報	30,418	▲774	▲2.5
日本海新聞	143,265	▲3,853	▲2.6
山陰中央新報	173,029	▲2,920	▲1.7
山陽新聞	294,558	▲14,064	▲4.6
中国新聞	519,078	▲19,534	▲3.6
中国新聞 SELECT	25,035	▲55	▲0.2
徳島新聞	177,801	▲9,973	▲5.3
四国新聞	160,451	▲7,385	▲4.4
愛媛新聞	184,284	▲5,212	▲2.8
高知新聞	144,963	▲4,813	▲3.2
西日本新聞	433,006	▲46,392	▲9.7
佐賀新聞	120,961	▲584	▲0.5
長崎新聞	162,722	▲3,145	▲1.9
熊本日日新聞	241,482	▲8,137	▲3.3
大分合同新聞	167,641	▲2,913	▲1.7
宮崎日日新聞	170,646	▲10,537	▲5.8
南日本新聞	247,473	▲7,450	▲2.9
ニッキン	63,362	▲5,771	▲8.3
日本農業新聞	292,797	▲13,951	▲4.5

※日本ABC協会「新聞発行社レポート」より

図表５　新聞広告費の推移

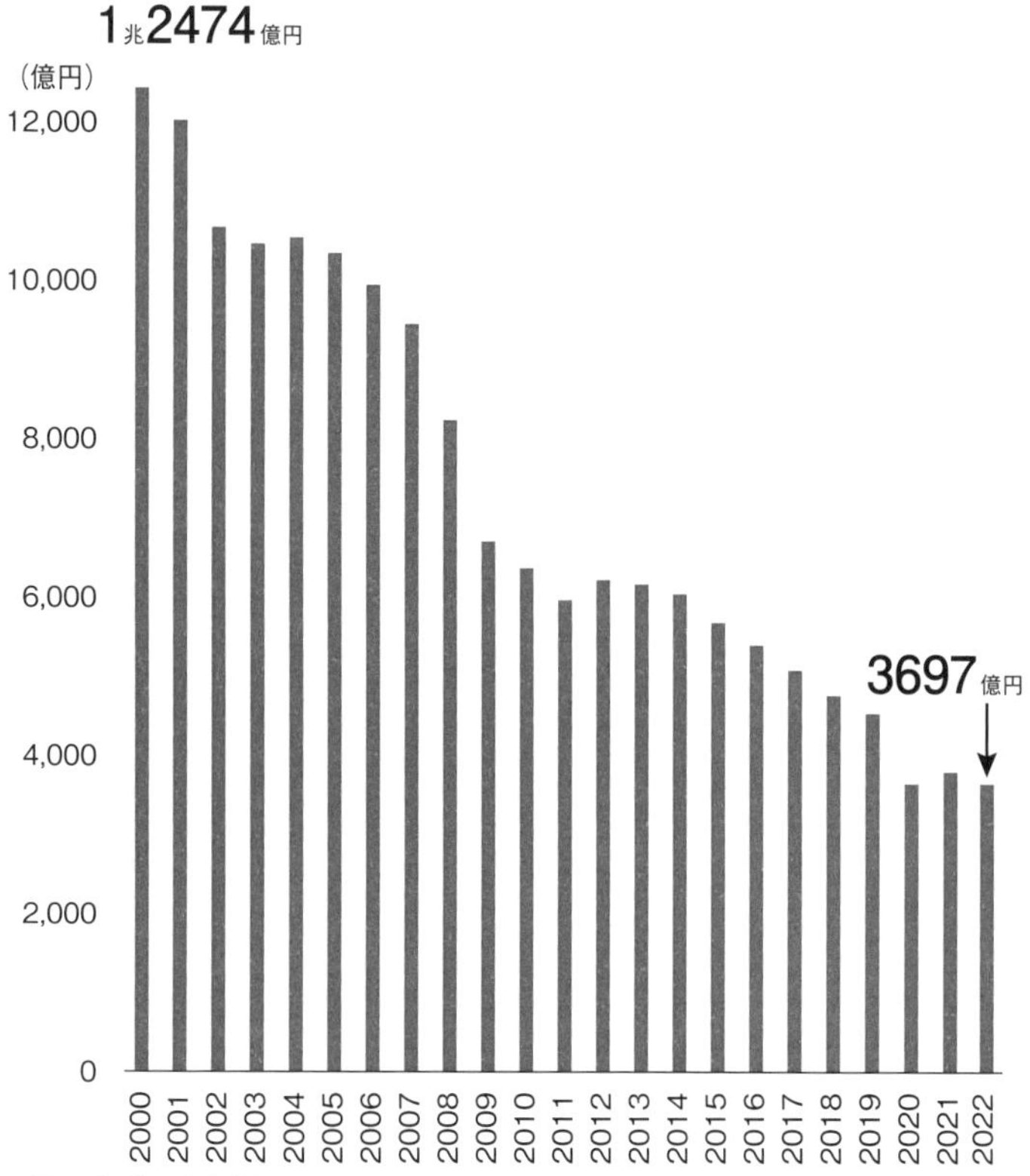

※電通「日本の広告費」より

スマートフォンへの接触時間の異常な増え方

新聞やテレビへの接触時間の減少以上に目立つのが、スマートフォンへの接触時間の増加だ。前出の博報堂メディア環境研究所「メディア定点調査」では、メディア全体の総接触時間は２００６年に３３５・２分だったが、２０２２年には４４５・５分まで３割以上も増えている。テレビも新聞も雑誌も、接触時間を減らしているのに、スマートフォン、タブレットは前述のように13倍以上伸びており、**メディア接触時間全体の引き上げを牽引しているのだ。**

一人ひとりが日々与えられる時間は１日24時間であり、これは全人類平等な条件である。にもかかわらず、なぜメディア接触時間全体がこれほど大幅に引き上げられているのか。

その背景には、スマートフォンの驚異的な「時間吸収力」がある。

例えば、コンビニエンスストアでレジ待ちの行列に並ぶ時、あなたはスマートフォンに触れていないだろうか。あなたの前の人も、後ろの人も、スマートフォンに目を落としているのではないだろうか。あるいは、駅で長いエスカレーターに乗る時、あなたも他の人も、スマートフォンを手にしていないだろうか。

かつては、このような**「スキマ時間」は、メディアの接触時間にはなり得なかった。**あなたがもし20年前、30年前を知る世代なら、思い返してみてほしい。コンビニでレジ待ちする行列に、テレビを肩から担いで見ているような人はもちろんいないし、新聞や雑誌を読む人さえもさほどいなかったはずだ。

どこにいても、スマートフォンから目が離せない人たち。
写真：Alamy/アフロ

エスカレーターや、信号待ちのようなほかのわずかなスキマ時間でも同様である。スマートフォンは、その手軽さと情報、コンテンツの充実ぶりから、**従来メディアがリーチできなかったスキマ時間を全てメディア接触時間に変えてしまうような圧倒的な時間吸収力を持っている**のだ。

消費者がスマートフォンというメディアにいることが分かれば、広告主も、あるいは無数に増えた発信者もスマートフォンにシフトしてくる。

前出の電通「日本の広告費」によると、2022年のネット広告費は3兆912億円に上っている。2006年の同じ調査では、4826億円だったから、16年で6倍以上増えていることになる。

YouTuberやTikTokerも、社会の中で確実に台頭してきている。YouTubeが、HIKAKINやはじめしゃちょーといった当時から著名なYouTube

図表６ 広告費もマスコミからネットにシフト

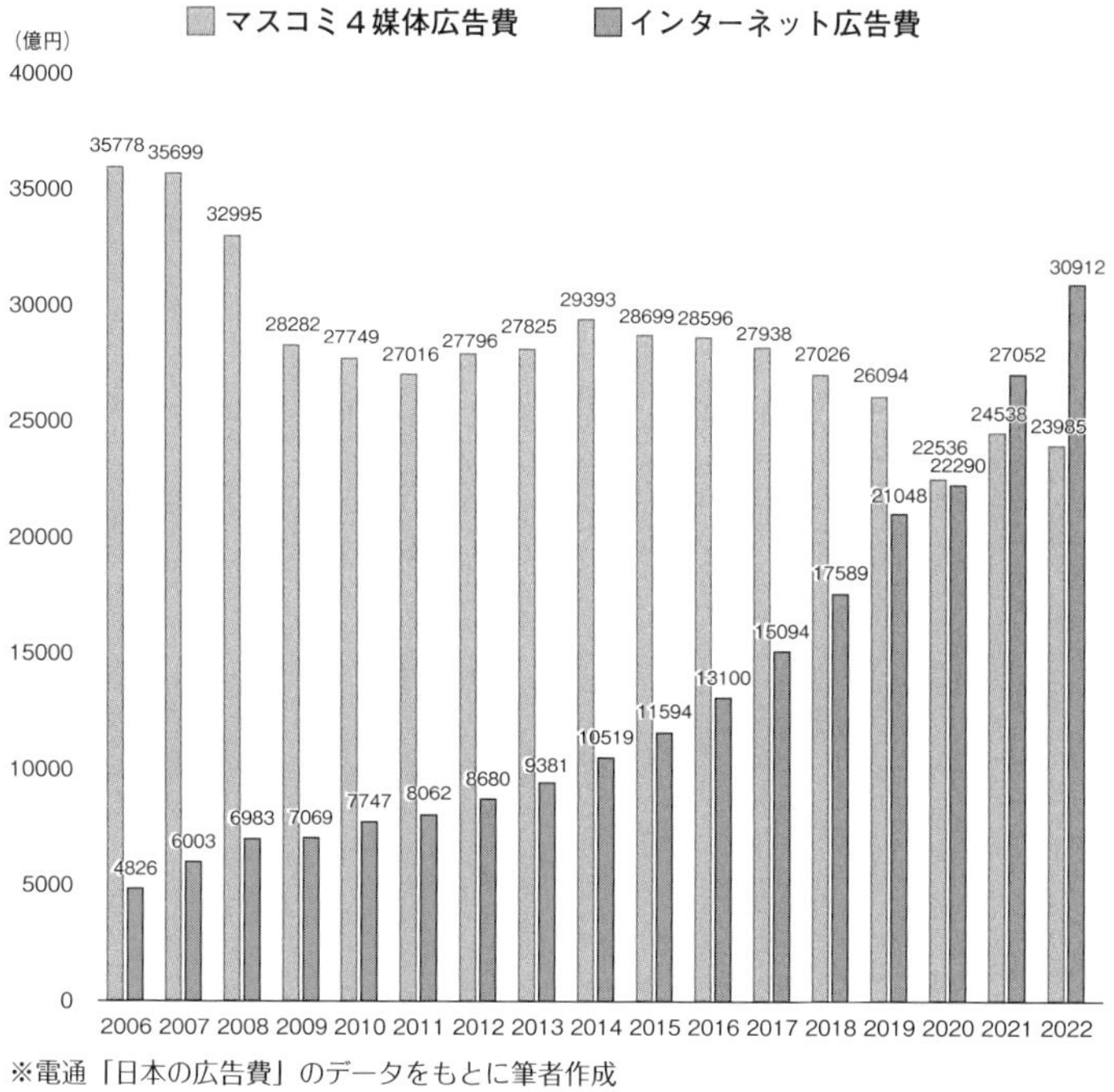

※電通「日本の広告費」のデータをもとに筆者作成

rを起用して「好きなことで、生きていく」というコピーの広告を展開したのは2014年のことだ。この頃には既にYouTuberがほぼ専業の状態で職業として成り立つケースが出てきていた。今や、子どもが将来なりたい人気職業ランキングでYouTuberは常に上位に位置している。

更に、**従来マスコミを通じて発信してきた発信者もネット、スマートフォンという舞台に移動してくるようになった。**ニュース・報道周辺の領域でも、経済紙を退職した記者がTwitterで50万人超のフォロワーを獲得し、経済やマーケット動向を解説する月額500円の有料コンテンツを2万人以上が購読するという成功事例が注目されている。また、テレビ局のアナウンサーが退職し、スマートフォン向け媒体やサービスの企画開発、広報といった職業に転じる例も続いている。

広告主も発信者もネット、スマートフォンに移動

消費者が、時間を使うメディアを新聞やテレビからスマートフォンに替えていったこと、スマートフォンが消費者のあらゆるスキマ時間を新たなメディア接触時間として吸収していったことにより、**広告主も発信者もネット、スマートフォンに移動した。**その結果、発信者が生活費をまかなうだけでなく、取材や制作活動にも充てられるだけの十分な収入を得られるようになったわけだ。その結果、ネットを通じてより質の高い情報やコンテンツに触れられるようになるという好循環も起きている。

こうして、メディア接触時間がネット、スマートフォンに急速にシフトする背景には、情報流通を差配するＧｏｏｇｌｅやＴｗｉｔｔｅｒ、Ｆａｃｅｂｏｏｋなどプラットフォーム企業のアルゴリズム、ビッグデータの存在も大きい。

今は新聞、テレビ、雑誌、ラジオのいわゆる「４マス」だけが発信者ではない。主にSNSを通じて、１億人全員が発信者になっている状態である。そして、SNSで発信される情報の中には、広く拡散された結果、一夜にして数百万人から１０００万人以上が目にするようなものも頻繁にある。**時として、一個人がマスコミに比肩する発信力を持ち得る状況が生じているわけだ。**

拡散を加速させるアルゴリズム

そして、**その拡散を加速させるのがプラットフォームのアルゴリズムである。**ここで言うアルゴリズムとは、コンピュータを通じてユーザー個々人により適した情報、コンテンツを表示するための処理方法を指す。

プラットフォームは、これまでマスコミが特権的に占めてきた情報を広く発信する機能

を、多くの消費者に開放した。かつてはマスコミが「1対n」で広く社会に情報を知らしめるのみだったところ、「n対n」で誰もが広く情報を発信する機会を得たのだ。その結果、流通する情報量は爆発的に増えた。ところが、**情報量が爆発的に増えたからといって、人間が情報を処理、消費する能力や時間の制約条件はほぼ変わらない。**その結果、膨大な情報の中から、個人に「最適化」された情報だけを選び取るアルゴリズムの役割が重要になるわけだ。

アルゴリズムは膨大な情報の中から、ユーザーが望む情報を上手く選び取ってユーザーに提供することを目指して作られている。その結果、ユーザーが利用して満足してくれれば、ユーザーが継続的にプラットフォームを訪れる接触時間が増えるからだ。筆者自身も、YouTubeでパスタなどの料理レシピ動画を頻繁に見ているが、何度か起動しているうちに、他の美味しそうな料理レシピの動画も次々におすすめされてきて、つい長い時間を過ごしてしまう。あなたにも同じような経験はきっとあるだろう。それがまさしく、アルゴリズムの働きによる現象だ。

図表7　プラットフォームが情報発信の機能を開放した

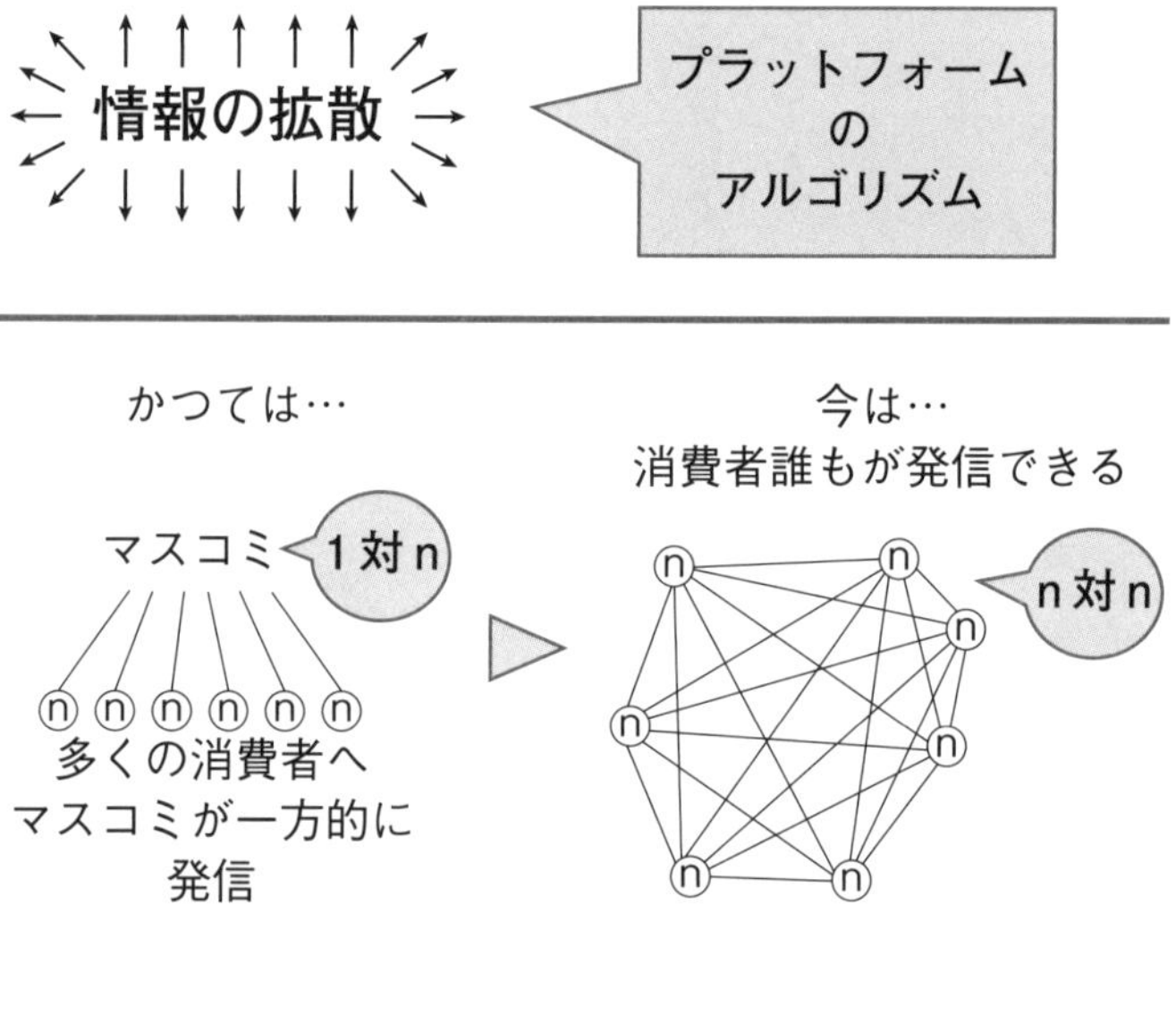

GoogleであれTwitterであれ、あるいはヤフーやスマートニュースのような国内のサービスであれ、プラットフォームのビジネスモデルは万国共通だ。それは、獲得したユーザーの接触時間を広告の表示機会に変換して、なるべく高く広告主に売って稼ぐことである。そのために、**アルゴリズムは使えば使うほどユーザーの好みや関心を示す膨大なビッグデータを貯め込み、それらをもとによりその人の関心に合う情報やコンテンツ、広告を表示するようになる。**

得られる情報の幅は狭く、パーソナルなものに

その結果、**マクロで見れば情報の量も種類も爆発的に増えているにもかかわらず、消費者である個々人が普段得られる情報の幅は実は狭く、パーソナルなものになっている。**あなたが見ているYouTubeやTwitterの画面に表示される情報と、あなたの友

人のそれとは内容が全く異なる。一人ひとり見ているもの、そこから得ている情報が異なる、もっと言えば一人ひとり頭の中身が全く違う時代になっているのだ。

そのポジティブな変化の一例が、音楽をはじめとするエンターテインメントの分野で見られる。

音楽ジャーナリストの柴那典《しばとものり》氏は、２０１６年の著書『ヒットの崩壊』（講談社現代新書）の冒頭でこのように指摘している。

「最近のヒット曲って何？」

そう聞かれて、すぐに答えを思い浮かべることのできる人は、どれだけいるだろうか？　よくわからない、ピンとこないという人が多いのではないだろうか。

かつてはそうではなかった。昭和の歌謡曲の時代も、90年代のＪ－ＰＯＰの時代も、ヒット曲の数々が世の中を彩っていた。毎週のヒットチャートを見れば、何が流行っているのか一目瞭然だった。テレビの歌番組が話題の中心にあった。

でも、今は違う。シングルＣＤの売り上げ枚数を並べたオリコンのランキングを見ても、それが果たして何を示しているのか、判然としない。流行歌の指標がどこにあるのかわからない。それが今の日本の音楽シーンの実情だ。

（略）

しかし、音楽の〝現場〟には今も変わらぬ熱気がある。それは、音楽ジャーナリストとして20年近くロックやポップ・ミュージックについて取材と批評を続けてきた筆者の正直な実感だ。音楽フェスの盛況、ライブ市場の拡大もそれを裏付ける。

では、なぜヒットが生まれなくなったのか？　実は、それは音楽の分野だけで起こっていることではない。

ここ十数年の音楽業界が直面してきた「ヒットの崩壊」は、単なる不況などではなく、構造的な問題だった。それをもたらしたのは、人々の価値観の抜本的な変化だった。「モノ」から「体験」へと、消費の軸足が移り変わっていったこと。ソーシャルメディアが普及し、流行が局所的に生じるようになったこと。そういう時代の潮流の大きな変化によって、マスメディアへの大量露出を仕掛けてブームを作り出すかつての「ヒットの方程式」が成立しなくなってきたのである。

確かに音楽の分野では「国民的〇〇」といった、誰でも知っているヒット作を聞かなくなって久しい。一方で、2020年代に入ってから、TikTokをはじめとする音楽×動画のプラットフォームが世界的に流行するようになり、日本でも個人で音楽活動をしていたアーティストがTikTokで脚光を浴びてメジャーデビューするケースが散見されるようになった。とはいえ、そうした流行が社会的に、**世代や性別の枠を超えて広く共有されることはほぼなく、メガヒットが少ない代わりに小さなヒットがそこら中にあるような格好になっている。**

これから社会に出るZ世代以下の世代は、社会的に広く共有されるヒットの記憶を持たない世代になるかもしれない。それは悪い変化ではない。文化がかつてなく多様化し、個人がより自らの好きなものを楽しめるようになり、同時にアーティストやクリエイターの側においても「新しい才能」により光が当たりやすくなるというポジティブな変化だろう。

「フィルターバブル」現象の発生

一方で、ネガティブな変化もある。

一人ひとりの頭の中身が違う。そんな情報体験が悪い方向に作用すると、いわゆる**「フィルターバブル」という現象が起きる**のだ。

例えば、もしあなたが新型コロナウイルスのワクチンの安全性に不安を持ったとする。そこでワクチンの安全性に疑問を呈する動画を1、2本閲覧してみる。すると、同じようにワクチンを危険視する動画がいくつもおすすめされてくるようになる。その中には「ワクチンは政府や製薬企業が人口を減少させるために仕組んだものである」とか「ワクチンを打つことで体内にマイクロチップが仕込まれて、管理されてしまう」といった陰謀論、デマが大量に盛り込まれている。はじめは半信半疑でも、こうした動画を繰り返し何本も見てしまうことで、その内容を信じてしまう。更に、その状態でおすすめされた他の陰謀論コンテンツもどんどん吸収してしまう。そうして、**自分好みの情報の泡（バブル）に閉じ込められてしまうというのがフィルターバブルである。**

「デジタルカルト」が生まれるしくみ

そんなフィルターバブルに陥った人を熱狂的な支持者として囲い込んで、自らの商売や政治的目的の達成につなげようとする人もいる。カリスマ的なインフルエンサーとして、コロナやワクチン、戦争や政治など様々なテーマに関連する陰謀論や裏付けのない非科学的な言説を振りまき、熱狂的且つ排他性の強い支持者の集団を抱える。

図表８　フィルターバブル現象

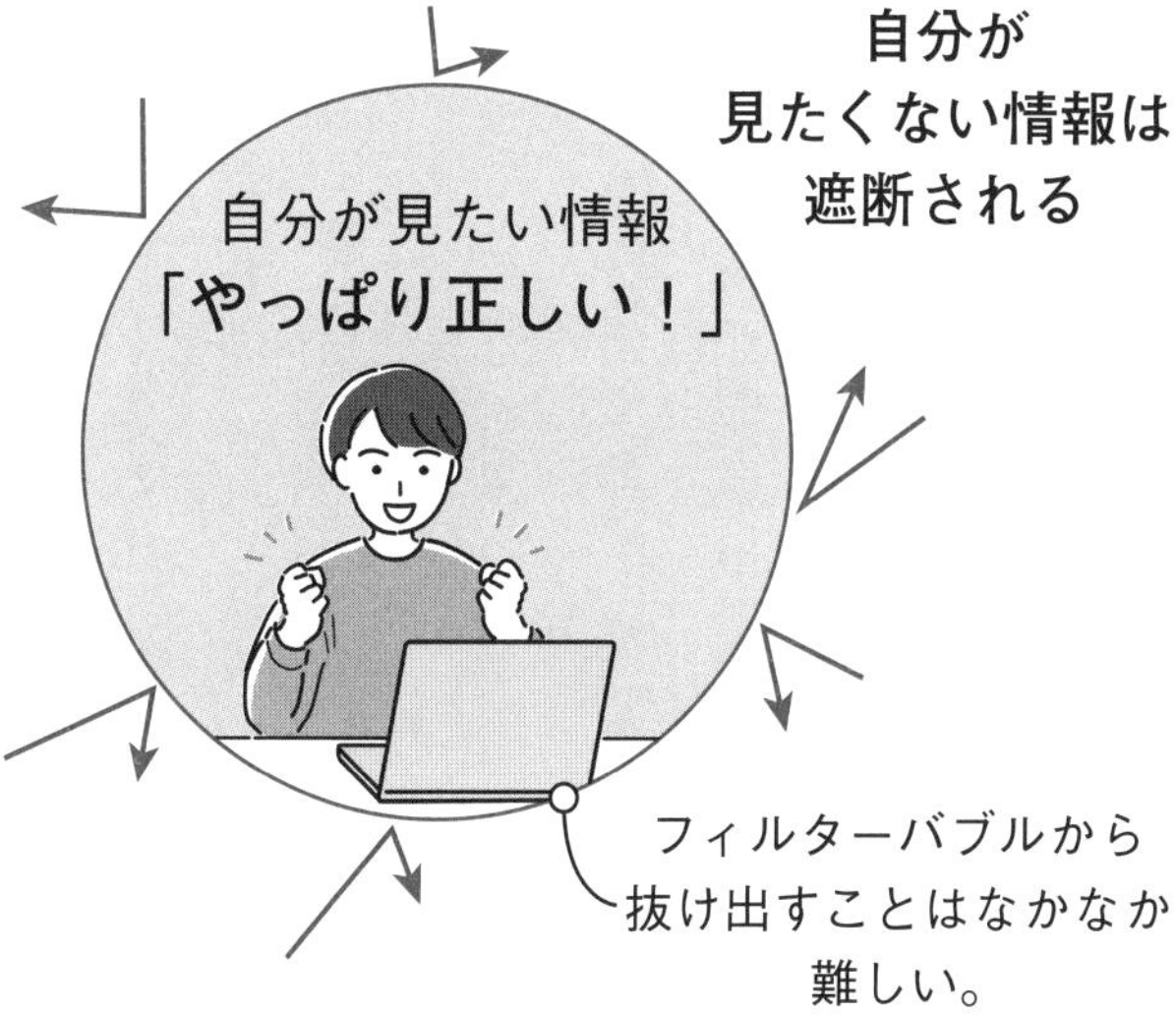
自分が
見たくない情報は
遮断される
自分が見たい情報
「やっぱり正しい！」
フィルターバブルから
抜け出すことはなかなか
難しい。

筆者の知人にも「高齢の父親が陰謀論に『目覚めて』しまった」という悩みを抱えて、相談してくれた人がいる。陰謀論やデマ、フェイクニュースの問題は自分には関係ないし、騙されない自信があると思っている人は多そうだ。実際、冷静な頭で、義務教育レベルの科学リテラシーを持って情報に接すれば、信じるはずもないような情報ばかりだから、そんなものにいい年した大人が大勢騙されているのはなぜだろう？　という疑問を持つ人も多いだろう。

しかし、**一度フィルターバブルに陥ってしまうと、抜け出すのは容易ではない。**こうしたリスクに無自覚な人は、多くの情報に自分の意思でアクセスしたと思い込んだ挙げ句、「マスコミでは触れられない真実の情報」に接して視野が広がったとさえ感じている。**実際は逆であり、その人の脳はものの見事に「支配」されているわけだ。**

更に悪いことに、情報を発信する側も、マスコミや世論の多数派と同じようなことを言っていては人々の注意や関心を惹けず、接触時間を獲得できないがゆえに、**どんどんリス**

クをとってエッジの立った発信をせざるを得ないという構造もある。

プラットフォームのアルゴリズムでは、特に新しく注目度の高い情報、コンテンツが多くの人におすすめされやすいしくみになっている。飽きやすいユーザーに、常に新しく興味深い情報を届け続けることで接触時間を最大化する狙いがあるからだ。ＹｏｕＴｕｂｅでは、動画の再生回数や時間に応じて投稿者が受け取れる広告収益が変わる。他のプラットフォームでも、広告や課金の別を問わず、接触回数や時間が多いほど発信者はお金を得やすい構造にあるのは変わらない。となると、**良識を失った発信者が半ば悪意を持って視聴者の「脳」を支配することを狙う「デジタルカルト」が生まれてしまう。**

例えば

・医師免許を持っている人が、科学的裏付けのない薬やサプリメントをコロナや難病の特効薬のように宣伝し、一方で正規の手続きを経て検証された薬やワクチン、製薬企業を攻撃するケース。

・政治評論家や政治家自身が、アメリカの大統領選や議会選挙で不正があったとする陰謀論を発信し、彼らの信じる「真実」を報じないマスコミを攻撃するケース。

などは「デジタルカルト」の言論活動の典型事例だ。

かつて日本社会でも、オウム真理教などのいわゆる「カルト」が少ないながらも信者の熱狂的な支持、信心を集め、最終的には社会の安全を脅かす重大な事件を引き起こしたことがあった。

こうしたカルトの特徴は、単に教祖や指導者を熱狂的に崇める集団であるだけでなく、その教えが非科学的で社会に対する敵対的な言説を含んでいたり、あるいは情報を遮断したり、金銭的な奉仕を求めるなどしたりして人権を侵害することにもあるとされる。そして、悪いことに、カルトの被害者は、自律的な意思のもと自らの選択でその教えを信じている、という自己認識でいる。「脳を支配されている」自覚がないわけだ。だからこそ、抜け出すのは極めて難しい。

今生まれている陰謀論や非科学的言説の発信者は、あえて「宗教」や「神」という概念をとらないだけで、**こうしたカルト的特徴を十分に有しており、まさに「デジタルカルト」と呼ぶべき存在だろう。**興味深いことに、こうしたデジタルカルト的発信者の中には、今日カルト宗教として批判されている団体に所属する人物が一定数存在している。ネットを通じた陰謀論やデマの発信が、彼らの新たな信者もとい「お客様」を獲得しやすい手段であると理解しているのだろう。

情報を収集する受け手の立場にいる私たちは、自らが日々、**デジタルカルトを生み育てやすい環境の中で生息していることを自覚しなければ、その毒牙から逃れ続けることは難しい。**

第2章

良質な情報が「有料の壁」の向こう側に流れるメカニズム

良質な情報を入手するにはお金がかかる

この本を手にとっているあなたは、他人に「脳」を支配されず、良質な情報を自らの意思でしっかり吟味して自分のビジネスに活かしたり、好奇心を満たしたりしたいと思っているだろう。

情報の「良質」さの定義は人により様々だが、あえて分かりやすく例示すれば、その情報を得ることで

・仕事や生活のうえで、より良い意思決定の役に立つ
・金銭や時間を浪費せずに済む
・精神的な満足感や知的好奇心に適う

といったことが言えると思う。だが、**最近はそれら「良質」なコンテンツは有料の壁の向こう側にあることが多い。**特に経済やビジネスに関するニュース、その解説に関するコン

テンツはその傾向が強い。この流れは止まらない。良質な情報をタダで受け取るのは相当骨が折れることであり、より効率的に見つけ出すにはまず情報にお金を払うマインドが必要になる時代だ。

良質な情報を入手するにはお金がかかる。そんな流れが生まれる構造的な要因はどこにあるのだろうか。

そのひとつは、情報流通を担うプラットフォームのアルゴリズムの変化だ。

「フォロー」「フォロワー」の概念に依存しないアルゴリズム

個人が何かを発信する時の手段は様々だ。ブログを書く、Ｗｅｂメディアに執筆する、どこかの媒体のインタビューに答える、ＹｏｕＴｕｂｅに動画をＵＰする——様々な手段があるが、それらはＴｗｉｔｔｅｒやＹｏｕＴｕｂｅ、ＴｉｋＴｏｋなどのプラットフォームを通じて拡散され、多くのユーザーに届けられる。**その多くのユーザーに対してコンテンツを届けるしくみが「アルゴリズム」である。**

主なプラットフォームはどこも、**全員に同じ情報を見せるのではなく、ユーザー個々人の好みや関心に応じて、一人ひとりに違うコンテンツを届けることで、その接触時間の最大化を図っている。**

かつては、その個々人の関心への最適化の方法が現状とはやや異なっていた。ユーザーが自ら、好きな発信者やインフルエンサーを「フォロー」する形で、好みの情報を得るしくみが主流だったのだ。「フォローする」とか「フォロワー」といった言葉が最もおなじみなのはTwitterだが、Twitterも以前はタイムラインと呼ばれる主なフィード（記事一覧画面）に流れる情報は、あくまでフォローしているユーザーの投稿や、リツイート（拡散された投稿）だけだった。Facebookも、以前は友人の投稿のみがフィードに流れていた。

だが、人間は自らの興味・関心事をもれなく言語化して、フォローすることはできない。例えば「自衛隊やアメリカ軍の装備に興味があるから、軍事専門家のこの人の発信をチェックしよう」といった具合に、自分の関心事を細大漏らさず言語化して、その人のアカウントをフォローし、自分の関心事が十分反映されたフィードを作るのは難しい。**そもそも、細かな興味・関心事は日々移り変わるものでもある。その都度、フォロー先を細かく入れかえるわけにもいかない。**

そこで、ＴｉｋＴｏｋやＹｏｕＴｕｂｅは**「フォロー」「フォロワー」の概念に依存しないアルゴリズムを作り、ユーザーが言語化しきれない好みや関心事をもとに、新しいコンテンツをユーザーに提示することに成功した。**

ＴｉｋＴｏｋのアプリを起動すると「おすすめ」というフィードに多くの動画が流れてくる。これらは、ユーザーが誰もフォローしていなくてもなんとなく見ているだけでどんどん自分の関心事に近づいてくる。その背景には、ユーザーが動画をどの程度の時間視聴したか、あるいは動画が投稿後一定時間内にどの程度視聴されたかといったデータをもとに、**個々のユーザーの好みや関心を類推するだけでなく、多くの人に支持される動画コンテンツを素早く割り出すアルゴリズムがあるのだ。**

こうした「フォロー」に頼らないアルゴリズムが成功すると、Twitterなどフォローの概念を重視していたプラットフォームでも、ユーザーがフォローしていないアカウントから発信されるコンテンツを重点的に推奨するフィードとアルゴリズムを開発、実装するようになった。

結果として、今のSNSプラットフォームでは、**従来のフォロー・フォロワー関係を大きく超えた爆発的な拡散がより起きやすいしくみになっているのだ。**

新たなアルゴリズムで炎上の「閾値《いきち》」が下がった

この変化は、情報の発信者にとっては功罪がある。

「功」の部分は、フォローを前提としたしくみよりも圧倒的に拡散しやすくなり、多くの人に情報を届けやすくなったことだ。Twitterのようなプラットフォームでは、フォロワー数が多いことがその人の発信力を示す指標として機能していた。だが、TikTokではTwitterほどフォロワー数に価値がない。コンテンツの内容が良ければ、フォロワー数がわずかなユーザーでもある日突然爆発的に拡散するからだ。少し前までは、有力なインフルエンサーが「フォロワー数がSNS時代の資産になる」「お金や肩書よりもフォロワー数が重要な時代が来る」といった意見を述べているのをよく聞いたが、フォロワー数はお金で偽装することのできる値でもある。もちろん、少ないよりは多いほうが良いが、アルゴリズムが進化し、多くの人に情報を届けるハードルがどんどん下がっている時代に、フォロワー数がどれほど権威性を残すかは分からない。

一方で、このアルゴリズムの進化が「罪」の部分をクローズアップしてしまう。フォロー・フォロワー関係の概念が良かったのは、「発信者」とそのコンテンツを「消費する人」（＝フォロワー）が共有する文脈があったことだ。その発信者が背景に持つ意見やスタンスを理解したうえで、コンテンツを支持するフォロワーがいわば「コミュニティ」を形成していたとも言える。だが、前述のように、このフォロー・フォロワー関係を大きく超えるような拡散が生じると、**コミュニティで発信者とフォロワーが共有していた文脈を知らない、あるいは理解しない人にも広くコンテンツが届くことになる。**

これが意図せず激しい批判や中傷を巻き起こすことがあるのだ。

Ｔｗｉｔｔｅｒでも、主なフィードが「おすすめ」と題して、そのユーザーがフォローしていないアカウントの投稿も積極的に表示するアルゴリズムに変更されてから、**炎上の**

「閾値《いきち》」が下がったように感じられる。以前なら、炎上するのはいわゆる「バイトテロ」や「バカッター」と呼ばれる明確に社会的倫理に反する行動であったり、政治家や著名人の失言であったりしたところ、最近は「価値観の違い」としか言いようのない程度の話で簡単に炎上が起きてしまう。これは、あるコミュニティで支持された言説が、価値観の相容れない別のコミュニティにうっかり届いてしまったことで生じている不幸な化学反応かもしれない。筆者の周囲にも「最近Ｔｗｉｔｔｅｒが殺伐としすぎている」「何か書き込んだらすぐに見当違いな批判コメントが届く」と疲労感を吐露するインフルエンサーは幾人もいる。その感覚の原因は、この現象でほぼ説明できてしまうのではないかと思う。

結果、それ以前に積極的に発信してきた人が、ＳＮＳでの発信の頻度を落としてしまったり、あるいはコミュニティを有料の壁で守ることができる「サロン」などに発信を閉じてしまうケースが多く見られるようになった。要は、**文脈を共有できる（言い換えると話の通じる）フォロワー、ファンだけを有料の壁の中に囲い込んで、その人だけに発信する。その発信手段に適した収益獲得のモデルが課金**である、ということなのだ。

そんな殺伐とした「拡散サバイバル」のような状況下でも、日々大量に発信を続けて、むしろ強化していこうとするインフルエンサーもいる。彼らの多くに共通するのは、**前述の設計思想のアルゴリズムに合わせて「極論」や「エッジの立った意見」で大衆の関心を集めるという生存戦略だ。**

1％の熱烈な支持を得られればいい

爆発的に拡散することで、結果99％の人に嫌われても、**1％の人から熱烈な支持を得ることができれば、それをお金に換えたり、票に換えたりすることができる。**そんなビジネスモデルを持つインフルエンサーが政界やビジネス、芸能の界隈でも見られるようになってきた。

極論で耳目を惹きつけて、あえて炎上を起こすような手法は当然大きな代償を伴う。だが、経済合理性を持ったモデルとして回すこともできる。やっている当人も注目を集めることが快感である、あるいは批判や中傷が苦にならないといった強靭なメンタルの持ち主かもしれない。だからこそ、何度炎上しても発信をやめず、むしろより強化していくことになる。

日頃Ｔｗｉｔｔｅｒをはじめとした　ＳＮＳでの情報体験になじんでいる読者の方であれば、ここまで書けば心当たりがある、顔が目に浮かぶ人がいるだろう。こうしたインフルエンサーの発信するコンテンツは、多くが無料である。ＹｏｕＴｕｂｅを主戦場とするインフルエンサーであれば、再生回数を広告収益に変えて収益化するために、きょうも「可燃性」の高い発信に勤しむ。

多くの人にとっては、ネットでは有料で入手するコンテンツよりも、無料で触れるコンテンツのほうが圧倒的に多いだろう。それらは、ここまで述べてきたような**アルゴリズム**

のしくみや経済合理性を意識して「作られている」側面があることを忘れてはいけない。

従来の報道機関のジレンマ

一方、ニュースの担い手である報道機関も、やはりこうしたアルゴリズムの動きによって高い有料の壁を築かざるを得なくなっている。

報道機関の取材活動にはお金がかかる。足で情報を集めて、真偽や背景を確かめ、分かりやすい記事なり映像なりにする。その全てが労働集約的なプロセスで行われているためだ。一方で、取材にお金をかければかけるほど、お金が稼げるコンテンツができるというわけではない。

逆に、メディアがプラットフォームのアルゴリズムに合わせて手っ取り早くお金を稼ぐとしたら、コストのかかる取材をせずに、ユーザーにタップされやすい、**いわゆる「釣り」見出しの記事を大量に書くのが最適解である。**これは、ニュースサイト側が、主に記事の閲覧数に応じて広告収益を分配する形でメディアから記事を仕入れているためだ。とりあえずＳＮＳプラットフォームやニュースサイト上でタップさえされれば、閲覧数を積み上げて収益を得ることができる。内容がなく、読後感が悪くても、読者であるユーザーが時間を無駄にするだけでメディア側はハッピーというわけだ。あなたも、有名人のブログやＩｎｓｔａｇｒａｍ、ＹｏｕＴｕｂｅの内容をそのまま記事にするといった具合に、タイトルだけは刺激的だが、読んでみればあまり情報量がないという記事を何度となく見かけたことがあるのではないだろうか。

この手の記事は特にスポーツ紙などが大手ニュースサイトに対して大量に出稿しており、ニュースサイトのランキングを覗くといつもその手の記事がいくつもランクインしている。ニュースサイト側も、こうした状況が続くとユーザーの体験価値を毀損するため、読者の記事への「感想」を収益分配額の計算に取り入れるなど様々な工夫や対策をしている。だが、読者の関心を惹きつけて滞在時間をなるべく延ばすというプラットフォームのビジネスのしくみ自体は変わらない。このため、根本的には状況は変わらないのだ。

そこで、報道機関の側では、**取材にお金のかかるコンテンツはポータルサイトなど無料媒体には極力提供せず、どんどん有料の壁の中に閉じていこうという動きが進んでいる。**

その先鞭をつけたのは日本経済新聞である。

有料記事のモデルとなった日経新聞

日本経済新聞は、主要紙で初めて電子版での「有料会員」制度を開始した社である。そして、一部の系列媒体を除いて、Ｙａｈｏｏ！ニュースなど外部のプラットフォームに無料記事を提供しない方針を長年貫いている。有料会員へのサービスに集中した結果、日本経済新聞の電子版は、約80万人の有料会員を獲得するに至っている。これは、国内新聞社の中では断トツの水準だ。

近年は会員数の伸びに減速の傾向も見られるものの、国内で最も成功した「ニュース×課金」の事例であり、各社が同様に有料の壁を構築していくうえでの「お手本」になっている。**全国紙だけでなく、各地の地方紙も相次いで無料ニュースサイトの提供をやめて、有料会員へのサービスを軸とした電子版への移行を進めている。**

こうして、良質なコンテンツはその多くが有料の壁の向こうに流れ続けている。一方で、**無料で大量に発信されるコンテンツは、その品質が年々劣化し、時に見る人の思考や意思決定を悪い方向に歪めてしまう。**タダほど高いものはない、と言うが、今のネットの情報空間はまさにそんな状況なのだ。

自分が目にするコンテンツやそこに含まれる情報が、どのようなメカニズムで生まれてきているかを知ったうえで、自分が本当に必要とする価値ある情報がどこにあるのかを知る必要がある。そして、それは今の時代背景から、多くはクローズドなコミュニティや有料の壁の向こう側にある可能性を考えなければならない。

第3章

消費者が発信する時代の光と影、報道産業の3大課題、その解決策

確かな情報を迅速に届ける

足元がグラッと揺れた。地震だろうか?

そんな時、とりあえずテレビをつけるという習慣は、恐らく多くの人にあると思う。そして、その時に合わせるチャンネルはＮＨＫだという人も多いだろう。強い地震であれば、ＮＨＫに限らず民放各局もじっくり時間をかけて、各地の最新の被害状況や交通、インフラへの影響、復旧の見込み、政府の対応などを伝えていく。

放送法第１０８条は、このように定めている。

基幹放送事業者は、国内基幹放送等を行うに当たり、暴風、豪雨、洪水、地震、大規模な火事その他による災害が発生し、又は発生するおそれがある場合には、その発生を予防し、又はその被害を軽減するために役立つ放送をするようにしなければならない。

確かな情報としてのニュースを発信する主体として、報道機関、とりわけテレビ局が負うべき役割は法律に定められているのだ。

今はそもそも自宅にテレビがないとか、テレビを見ないという人も増えている。そんな人も、災害時にはスマートフォンを通じてニュースをチェックする。そのニュースの出所は、ほぼ全てがテレビ局や新聞社などの報道機関だ。地震に限らず、台風や大雨など**大きな災害時には決まって、ニュースサイトやアプリへのアクセス数つまり需要が大きく増える。多くの人の安全、安心につながる情報があるからだ。**

そして、被災地では市民の身の安全や安心の確保のためだけでなく、その後の生活の立て直しや復旧のため、報道機関は店舗やインフラなどの情報を幅広く集め、伝え続ける。そんな状況を見る度に、**地域に根ざした報道機関の「確かな情報を迅速に届ける」役割の**

重要性を感じる。

一般的に、従来報道機関は、社会、政治、経済、文化など様々なジャンルで社会的に関心の高い出来事を伝えていくこと、そして、その中で市民の安全、安心につながる情報を伝えていく、権力を監視する役割を果たそうとしてきた。いわば、公共的な部分を担っている存在だ。

前述のように、特に災害時など、社会全体が大きな不安に覆われる時、一人ひとりの安全、安心につながる「確かな情報をより速く届ける『情報のライフライン』」としての報道の機能はより重要になる。

公共的役割を担えなくなってきた報道機関

一方で「権力の監視」というミッションについては、それを報道機関もといマスコミという存在が担うことに、今の時代にどこまで社会的要請があるかは少し怪しくなってきている。「ネット世論」が時にマスコミを凌駕する力を持ち得ている現在、**そのマスコミ自体がネット世論からは「批判されるべき権力」そのものとして見なされている側面もある。**だが、マスコミが権力の監視をしないロシアや中国のような国で、権力者がどんな振る舞いをしているかを横目に見ていると、日本はああはならないようにしたいと心底思わずにはいられない。

少なくとも諸外国のように、極端な汚職が時に経済を揺るがしたり、はっきりしない理由で若者を大勢犠牲にするような戦争を始めたり、あるいは政権を批判する人が突然投獄されたり不慮の死を遂げたりするような状況には日本はなっていない。そのことを考えると、**これまで権力の監視機構としてのマスコミ、報道機関がそれなりの社会的役割を果たしてきたことは間違いないだろう。**

「確かな情報をより速く伝える」あるいは「言論で権力の監視をする」――こうした報道機関の公共的な役割は、日本全国津々浦々に至るまで、朝と夕方に家で新聞をとる習慣、あるいは家族揃ってテレビの前に座って見る習慣、あるいは私たちが「義務」として支払うＮＨＫ放送受信料という究極のサブスクリプションモデルによって支えられてきた。

ところが、**インターネットやスマートフォンの普及で情報流通の構造が大きく変わったことで、それらの習慣が崩れてきた。**同時に、地上波テレビ離れの進行から、ＮＨＫ放送受信料の支払いへの疑義を提起する国政政党の誕生にまで至るような出来事もあった。こうした環境の変化に伴い、**報道機関はその公共的な役割を段々果たしにくくなってきているのが今日私たちが直面している現実だ。**

ビジネスとジャーナリズムの両立

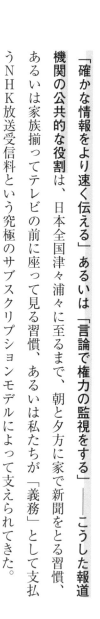

いくら報道機関が公共的な役割を果たしてきたと言っても、報道機関はNHK以外は私企業である。あくまで、そのジャーナリズムは採算をとりながら発揮する必要がある。だが、この**「ビジネスとジャーナリズムの両立」こそが今極めて難しい課題になっているわけだ。**

一方で、現在の時代背景においては、報道機関自体はともかくとして、社会に「確かな情報をより速く伝える」その役割自体はより強く求められるものになっているはずだ。

概ね1990年代までは、マスコミが社会の情報流通の根幹を担っていた。インターネットが普及し、スマートフォンを誰もが手にするようになり、SNSも広く使われる今日、そんな「マスコミの時代」が終わり「消費者が発信する時代」になった。

消費者が発信する時代には「光」と「影」がある。

何が事実で何が不確かな情報なのか？

ＴｗｉｔｔｅｒであれＹｏｕＴｕｂｅであれＴｉｋＴｏｋであれ、**誰もが「メディア」化して発信できるようになった。**そして、そのコンテンツを誰もが楽しむことができるようになった。これは「光」の部分だ。それ以前の時代に戻ることは考えられないほど、**誰か個人の発信が私たちの行動に結びつき、生活を変えた。**

社会問題やビジネスを考えるうえでは、その道の専門家をＳＮＳ上で探してフォローすることでその専門知のアップデートの一端を覗き見することができるようになった。あるいは、膨大な公開情報から昔なら到底知り得なかったような事実を浮かび上がらせることもできるようになった。趣味、遊びでも、積極的に発信する同好の士を見つけてそのコミュニティの輪に入ることができる。インフルエンサーが推奨したファッションアイテムが「バカ売れ」して新しい流行を作っていたりする。

一方で「影」の存在の大きさもまた無視できなくなってきている。

まず、**社会に流通する情報量が爆発的に増えた。**その結果、何が事実で何が不確かな情報なのか、誰もはっきりとは分からないような情報環境になってしまった。

いわゆるデマやフェイクニュース、あるいは荒唐無稽な陰謀論の拡散が、社会に著しい実害をもたらすようになった。大体２０００年代のうちまでは「2ちゃんねる」（当時）やその他ネット上の様々な場所に途方もないデマが書き込まれていても無視していればよい、それが最適解だと大真面目に説かれていた。その当時、あるジャーナリストが「2ちゃんねるはゴミ溜めだ」と言って憚《はばか》らなかったが、実際、**当時のネット発の発信の社会的影響力はたかが知れていた。**

だが、最近はコロナやワクチン、災害、戦争、政治や選挙とありとあらゆる分野でデマや陰謀論が膨大に流通、拡散するようになった。そのことが例えば「ワクチンにはマイクロチップが入っているから接種を拒否する」といった、多くの人には理解の及ばない荒唐無稽なデマを根拠にワクチン接種を拒否して、結果家族や自分を死に至らしめるケースも聞かれるようになった。デマやフェイクニュース、陰謀論の類が社会から隔離された「ゴミ溜め」に集積されているだけだと思ったら大間違いであり、**それらが私たちの命や健康、財産を直接脅かしかねない時代に既になっているのだ。**

現在は、SNSプラットフォームが成長し、そこにおける消費者の発信が常に社会に大きなうねりを起こすようになった。**誤情報、不確かな情報もその大きなうねりに乗って絶えず社会に拡散し続けており、しかも年々その量は増えている。**これが新しい現実であり、時代の巨大な「影」である。

情報爆発という現実に追いついていない

そんな「影」をどのようにして打ち消すべきだろうか？

本来は、長年にわたって、情報を集めて、確かめたうえで伝えることを生業としてきた報道機関がその役割を負う必要があるだろう。だが、実際には、当事者にその意欲があったとしても**情報爆発という現実には全く追いついていないし、役割を果たしきれるだけの体力も少なくなってきている。**

その結果か、社会のマスコミに対する信頼や期待は年々薄れてしまっているようだ。新聞通信調査会が毎年行っている「メディアに関する全国世論調査」で見ても、報道機関の中核を担う新聞やＮＨＫのような存在が年々少しずつその信頼度を下げていることが分かる。ではは反対にインターネットの信頼度が上がるかといえばもちろんそんなことはなく、

多くの媒体に対して一貫して信頼度は劣後しているのが現状だ。

これまで従来型の報道機関が担ってきた役割のうち、少なくとも「確かな情報をより速く届ける」ことについては、この時代においても誰かが、どうにかして担わなければならない。そのために報道機関が変われるか、あるいは従来の報道機関に代わってその機能を果たすプレイヤーが生まれるかが重要だ。

報道産業の3つの構造的課題

そのうえで、筆者が考える**報道産業の構造的課題は主に3つある。**

1つ目に、報道機関が「人海戦術」を前提とした構造になっており、相応に**高コストな体質であることだ。**

図表９　各メディアの情報信頼度（時系列）

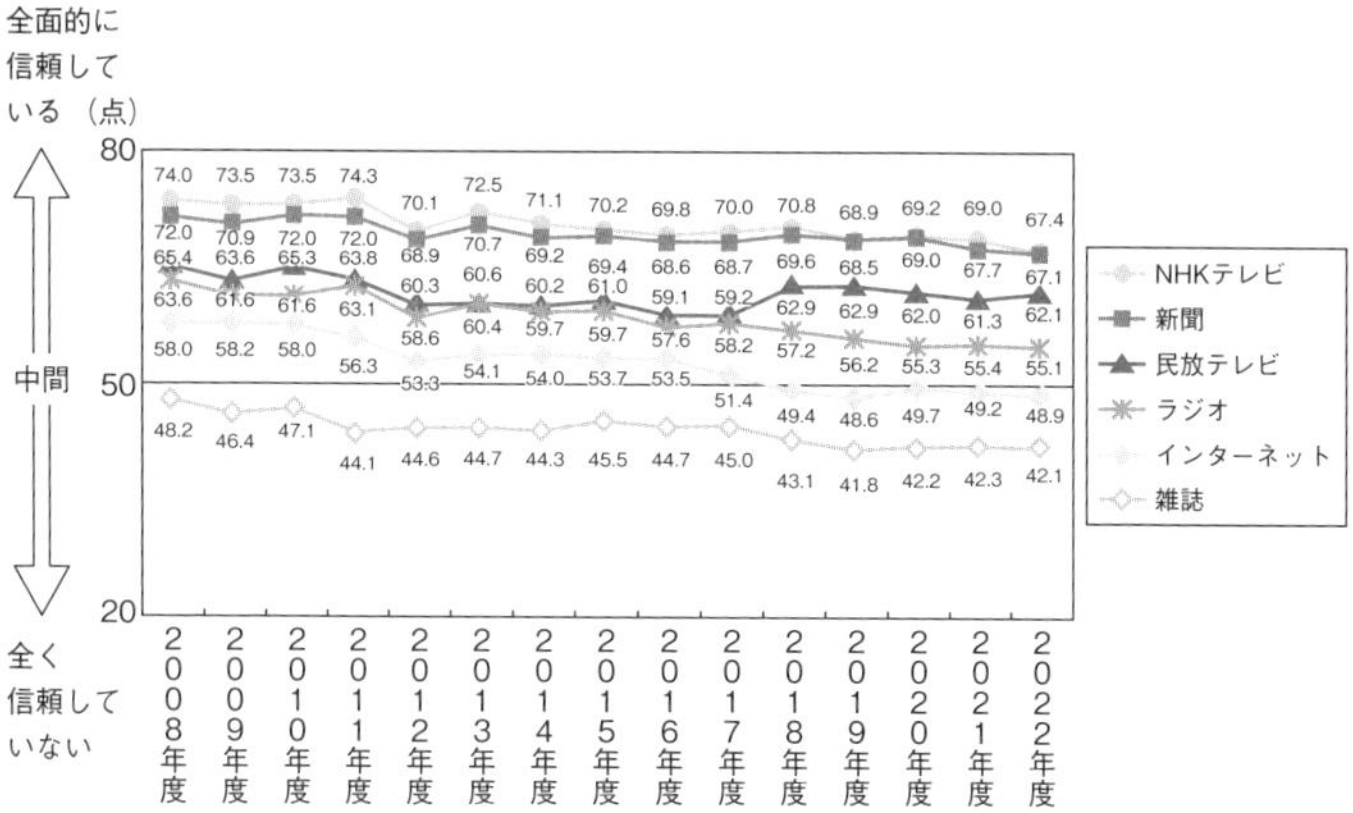

※新聞通信調査会「メディアに関する全国世論調査」第15回調査結果より

新聞社であれテレビ局であれ、記者組織を中心とした労働集約型の産業であることには変わりがない。全国紙は千人規模の記者を全国に抱えており、その記者の足で情報を集めている。昨今の企業全体のデジタル・トランスフォーメーション（DX）の流れに沿って、報道機関でもDXを掲げる社が出てきているものの、**業務プロセスの多くは紙や人手に頼ったアナログな部分が多い。**

コスト削減のため、記者も含めた人員削減が進んでいるが、その分1人の記者にかかる負担が増しているのか、長時間労働の問題も囁かれる。それでも高待遇な時代は良かったが、今は好調な他業種に劣後してしまい、その魅力が薄れた。若年層の新規採用も絞られており、結果、**優秀な若手が育ちにくい状況がある。**

2つ目に、情報の流通をインターネットやスマートフォン、それらの媒体上で機能するSNS等のプラットフォームに奪われたことで、**収益機会を喪失していることだ。**

かつて、私たちの親世代の消費者が「社会」にアクセスするための情報手段は、朝夕配達される新聞と折り込みチラシだった。今は、24時間絶えず膨大な情報を受け取ることができるインターネット、そして常に目から30㎝の距離にあるスマートフォンが取って代わっている。**このスマートフォンが私たちのあらゆるスキマ時間をメディアへの接触時間に変換、吸収してしまうその威力は第1章でも述べた通りだ。**

そして、その上に乗ったTwitterやYouTube、TikTokなどのSNSや、Yahoo!ニュースに代表されるニュースサイトなどの**各種プラットフォームが、**

図表 10　国内新聞社の記者数の推移

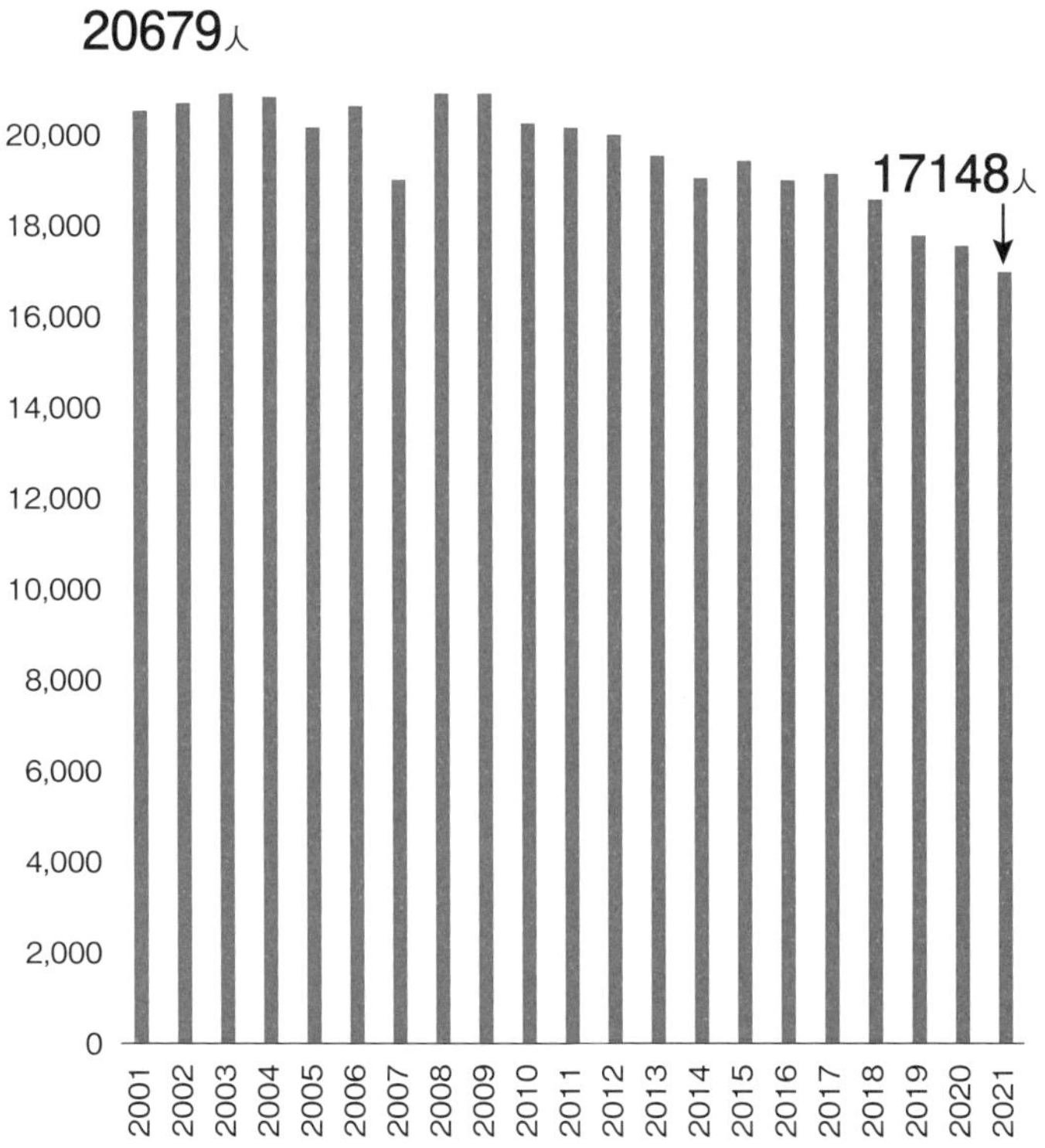

※日本新聞協会調べ

その接触時間を広告収益に変えて成長してきた。これらプラットフォームのビジネスモデルは、消費者の接触時間を広告表示機会（インプレッション）に変換して、広告主になるべく高く売るというものだ。言い換えると、

接触時間×広告価値変換効率＝収益

という式で説明できる。そして、前者の接触時間が増えれば増えるほど、そのユーザーの属性や興味、関心を示すデータも増えるので、後者の広告価値変換効率が良くなり、広告表示機会が高く売れるわけだ。プラットフォームは、この式を念頭に、いかに消費者に長い時間利用してもらえるかを考える。１日10分利用する人に20分利用してもらえれば、あるいは１日１回利用する人に２回利用してもらえれば――そんな改善を日夜、繰り返しながら新しいコンテンツフォーマットやアルゴリズムを作り出しているのだ。

企業がメディアに支出できる広告費は有限なので、広告の費用対効果を上手く測れず、そもそも若い消費者にリーチしにくい新聞からは離れ、**プラットフォームへの支出に傾いていく。**その結果、年々成長を続けるネット広告費とは対照的に、新聞広告費はつるべ落

としに下落していった。

3つ目に、多メディア化で競争相手が劇的に増えていることだ。

かつては報道機関の競争相手は他の報道機関だった。社会に対して影響力のある発信者が他にいなかったから、いかに速く情報を出すか、いかに他で読めない特ダネを報じられるかで競い合った。だが、多メディア化で、収益の源泉たる消費者の接触時間をあらゆるプレイヤーで奪い合う時代に入った。**ニュースだけでなく、動画や写真やSNSの投稿やその他ありとあらゆるコンテンツが同じ土俵で競い合うようになった。**

その結果、若い世代を中心にテレビ離れが進んでいることは第1章でも指摘した通りだ。

中でも注目すべきは**「消費者が発信する時代」を特徴づけるUGC（User Generated Contents＝ユーザーによって作られたコンテンツ）主体のプラットフォームの成長だ。**

図表 11　新聞広告費の推移

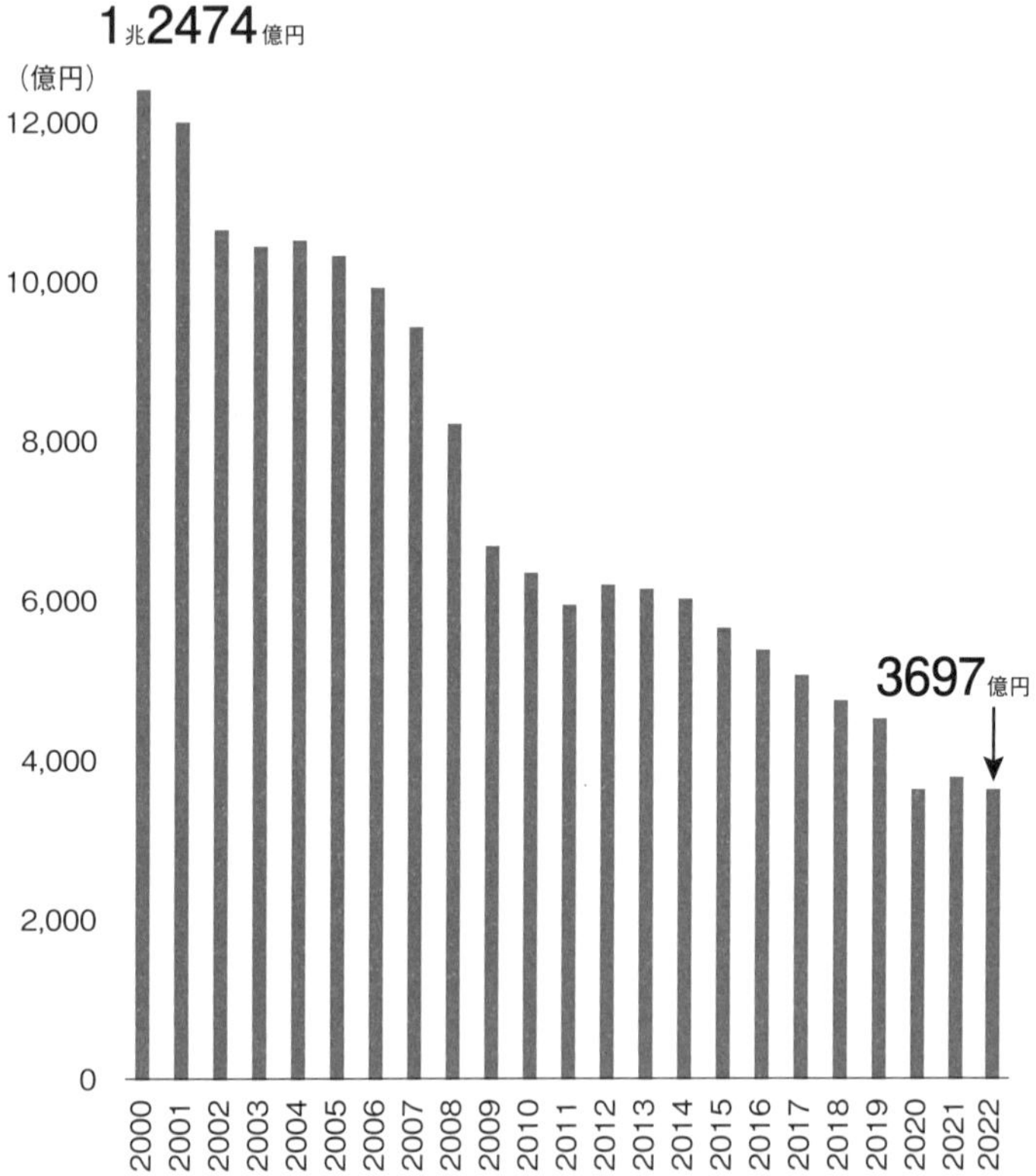

※電通「日本の広告費」より

例えばＴｗｉｔｔｅｒのツイート、誰かがＹｏｕＴｕｂｅやＴｉｋＴｏｋにアップした動画などは、いずれもＵＧＣである。このＵＧＣの「供給」量は、ユーザーの接触時間が増えた分だけ、同じように増えていく。そして、そのＵＧＣが他のユーザーの接触時間すなわちコンテンツ消費の「需要」を満たしていくのだ。つまり、消費者であるユーザー自身が作るＵＧＣは

「ユーザー数の増加」×「１人あたり接触時間」

の掛け算で増える。**旺盛なコンテンツ消費の需要の増加に、無限に応えられる供給能力があるのだ。**

一方、報道機関は引き続き人海戦術を軸としたモデルのままであり、その記者数は増えるどころか減っている。**競争相手から接触時間を奪われないようにするには、供給するコンテンツの「量」を引き上げるか「質」で対抗するかしかない。**

当然ながら、前者を人海戦術でやるのは非現実的だ。１人あたりの記者が作れるコンテンツの量には限度があるし、そう簡単には上がらない。限られた人手で、この情報爆発の時代に森羅万象を網羅することなど不可能なのだ。

だとすれば、**やはり記者はそのコンテンツの「質」で対抗するしかない。だが、元々コスト構造が重いのが問題なので、その「質」を担保するための人的資源に投資できる余力がない。**他方、周りを見渡してみれば、Ｎｅｔｆｌｉｘやディズニーのようなプレイヤーは、それぞれ年間数兆円ものコンテンツ制作費を投じて消費者を更に多く惹きつけようとしている。

報道産業の負のスパイラル

と、ここまで記して多くの方には理解いただけたと思うが、**この３つの問題は全て連動**

しているのだ。筆者はこれを、**報道産業の「負のスパイラル」**と呼んでいる。

人海戦術でアナログであるがゆえにコスト構造が重い。そのために生産性が上がらない。そして、その状態で他の情報手段に流通を奪われて収益源を失ってしまった。結果、投資余力もなくなってきた。そこに更に競争相手が増えた。その競争相手とは、ユーザーの需要に合わせて無限にコンテンツを供給できる「量」の化け物みたいなプラットフォームや、年に何兆円もコンテンツに投資をする「質」の化け物みたいなプレイヤーであったりする。

この「負のスパイラル」が回転したまま、従来の報道産業のモデルを維持しようとしても、とにかくコストを切り詰める以外の解がない。そして、**それはより競争力を損ない、公共的な役割を果たすどころかどんどん縮小し支持を失ってしまう悪循環に陥ってしまう道だ。**

従来報道機関が担ってきた、**確かな情報を迅速且つ大量に社会に供給する、情報のライ**

図表12　報道産業が抱える3つの課題は連動している

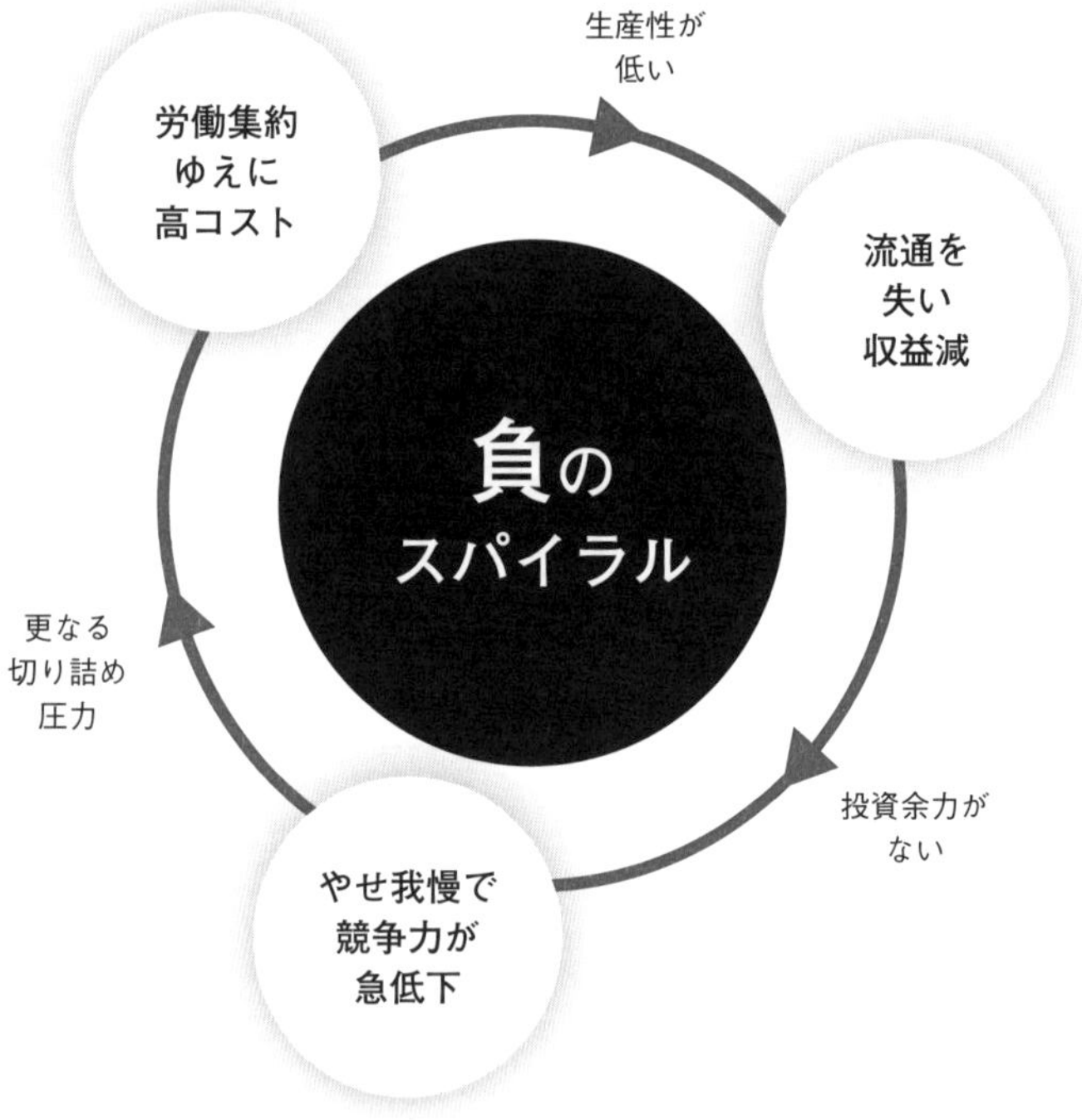

フラインという役割があるとすれば、それを残すにはそのモデル自体を根本的に作り替えるしかないというのが筆者の考えである。そして、それこそが筆者の経営する報道ベンチャー・JX通信社が挑戦している課題である。

テクノロジーを動員した報道産業革命

ではその課題をどう解決すべきなのだろうか。その解は、テクノロジーを動員した産業革命だ。

人海戦術ではなく、高度に機械化された状態で「確かな情報」を社会に迅速且つ大量に供給できる状態を作る。そのうえで、人間は人間にしかできない良質なコンテンツを生み出すことに集中する。そうして生産性を引き上げることで、質と量それぞれを最大化して接触時間の最大化を図っていく。その接触時間を収益に変換して、投資余力を確保し、他

図表 13　報道産業に革命をもたらすものは？

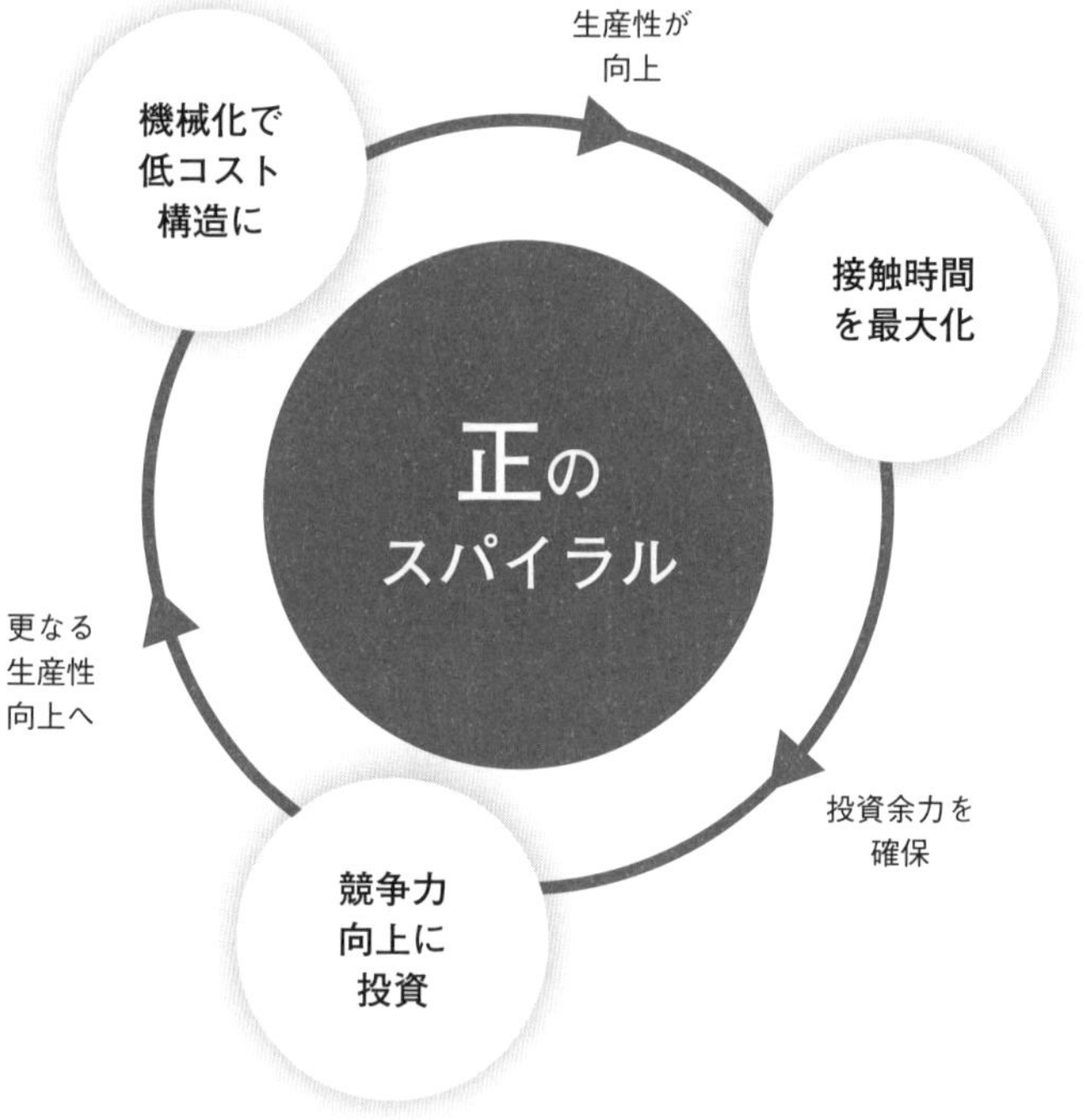

のプレイヤーと伍するような競争力の向上に投資していく。その結果、更なる生産性の向上を実現する。

この「正のスパイラル」を実現するために、ＪＸ通信社は「記者ゼロのＡＩ通信社」を目指しているのだ。言い換えれば、確かな情報を迅速に、大量に社会に供給するためにあえて「記者ゼロ」という制約条件を設けて、**高度に機械化された新しい報道機関のモデルを作り上げる**ことを目指している。

消費者が発信する時代だけに、膨大な情報を活かして新たな事実を浮かび上がらせたり、情報の裏付けを進めたりするだけの情報源も飛躍的に増えた。発信するのは消費者だけでなく、カメラやＩｏＴセンサーなど、ネットワークにつながったハードウェアからもデータを取り出して情報を可視化することができる時代だ。こうした「光」を上手く活かして、**ＡＩで情報の端緒を発見し「確かな情報」としてのニュースに変えて、個々の消費者、企業にとって価値あるものだけ届けていく。**

そうしたしくみの土台として手掛けているのが、後述するＪＸ通信社のビッグデータリスク情報プラットフォームである「FASTALERT」（ファストアラート）だ。

消費者が発信する時代の光を活かしながら、影を打ち消し、確かな情報を迅速に、価値あるものだけ届けることを目指す「ＡＩ通信社」の取り組みと、そのアウトプットのひとつであるＦＡＳＴＡＬＥＲＴ、その背景にある光を活かした公開情報の分析の考え方を、次の章で紹介していきたい。

第4章

OSINT全盛時代
ビッグデータの海から
価値ある情報だけを集める

ウクライナ侵攻で注目。新時代のＯＳＩＮＴ

今、「ＯＳＩＮＴ」（Ｏｐｅｎ Ｓｏｕｒｃｅ Ｉｎｔｅｌｌｉｇｅｎｃｅ：オシント）という言葉がにわかに脚光を浴びている。オープンソース・インテリジェンス、つまり**公開情報を収集、分析する諜報活動のこと**である。

インターネット以前の時代には、ＯＳＩＮＴの対象は専ら新聞、テレビ、雑誌、ラジオのいわゆる４マスだった。日本でも、かつてソ連時代にソ連で発行される新聞や雑誌をつぶさに読むことで、今後の最高指導部の人事や外交政策などの機微に触れる情報をあぶり出していった「武勇伝」を語る外交官経験者がいる。また、日本国内で国策的にＯＳＩＮＴを担ってきた組織として、ラヂオプレスという外務省系の通信社も存在する。ラヂオプレスは旧ソ連に限らず、北朝鮮や中国などの東側諸国のメディア報道を人海戦術でモニタリングして、政府や報道機関にその内容を届けている。過去には、北朝鮮の金日成《キムイルソン》総書記が北朝鮮メディアに登場しない期間をカウントして健康不安を察知したり、死去を報じる直前の朝鮮中央テレビの特別放送の予告報道から、死去の可能性を察知したりしたという例もある。

こうしたOSINTの材料に事欠かないのが、今という時代だ。かつては公開情報といえば、前述のように新聞などの4マスか、政府の発表や公式統計などかなり限定的だった。一方、**今はスマートフォンやSNSの普及で、一般市民が現地からリアルタイムに発信する写真や動画が重要な分析対象になっている。**

こうした新時代のOSINTが幅広く実践されているのが、2022年に始まったロシアのウクライナ侵攻だ。TikTokやTwitter、TelegramなどのSNSでは、ロシア軍の侵攻開始前から、ウクライナとの国境に向けて移動するロシア軍の車両や装備の写真や動画が多数投稿されていた。それらを、SNS上で発信活動をしている軍事専門家やウォッチャーが分析し、戦況の分析やロシア軍の「次の一手」を正確に予想することに役立てていたのだ。例えば「道路を走っている戦車を載せたトレーラー」を写している動画に写り込んだ風景や道路の特徴から大まかな場所を割り出し、戦車の型式や台数などから部隊を推測する、といった段取りで、ロシア軍のどんな部隊がどの辺りに展開しているかを探る重要な情報源として活用できる。

更に、最近は民間の商業衛星が多数打ち上げられているため、衛星写真をかつてよりもかなり安価に購入して分析することも可能になった。ＳＮＳに投稿される**地表面からの「点」の情報だけでなく、宇宙から見た「面」の情報も組み合わせて**部隊の配置や戦況を可視化するという高度な分析が、国家的な情報機関や軍隊の専売特許ではなくなり、市井の民間人も参入できるようになったのだ。その結果、ロシアのウクライナ侵攻をめぐっては、それを報道メディア上で分析、解説する専門家の側も、軍の公式発表やメディア報道、現地の人脈といったアナログな情報収集手段を主とする人から、ＯＳＩＮＴを駆使してＳＮＳのデータや衛星写真などを立体的にリアルタイムに分析できる人へと急速な世代交代が起こっているように見える。

こうしたＯＳＩＮＴの活動を国際的に展開する組織も注目されている。オランダを拠点とする調査報道組織Ｂｅｌｌｉｎｇｃａｔ（ベリングキャット）は、ロシアのウクライナ侵攻やシリア内戦など、世界各国の紛争や人道犯罪を取材対象としているが、その取材方法にはＳＮＳなどＷｅｂ上に投稿されているオープンな情報源をフル活用するという特徴がある。同じくオランダを拠点とするＯｒｙｘ（オリックス）も、戦地からのＳＮＳ投稿など公開情報をもとに、ロシア軍、ウクライナ軍双方が失った戦車や飛行機などの物的な被害を可視化する取り組みが注目されている。

「視聴者提供」情報もまたＯＳＩＮＴ

実は、こうした取り組みは、遠い海外の戦場に限ったものではない。

皆さんは、テレビでニュースを見ていて「視聴者提供」というクレジットの入った映像を見たことはないだろうか？　今やほぼ全てのニュース番組で必ず使われていると言っても良い「視聴者提供」の映像や写真は、そのほとんどが筆者が経営する報道ベンチャー・JX通信社のOSINTツール「FASTALERT」（ファストアラート）によって発見、収集されているのだ。

FASTALERTは、TwitterやInstagram、TikTokなどの各種SNSプラットフォーム上の投稿や各種アプリから収集したビッグデータをAIで分析し、災害や事故、事件など実空間で生じているリスク事象をいち早く検知するしくみだ。2016年9月に提供を開始し、翌2017年4月にはNHKと全ての民放キー局で導入された。今や、全国の新聞社や地方局など国内の大半の報道機関が活用する、業界標準のOSINTツールになっている。

図表14　FASTALERTとは？

AIを通じて、正確な情報だけをリアルタイムに取り出すしくみ

FASTALERTが検知したリスク事象データ例

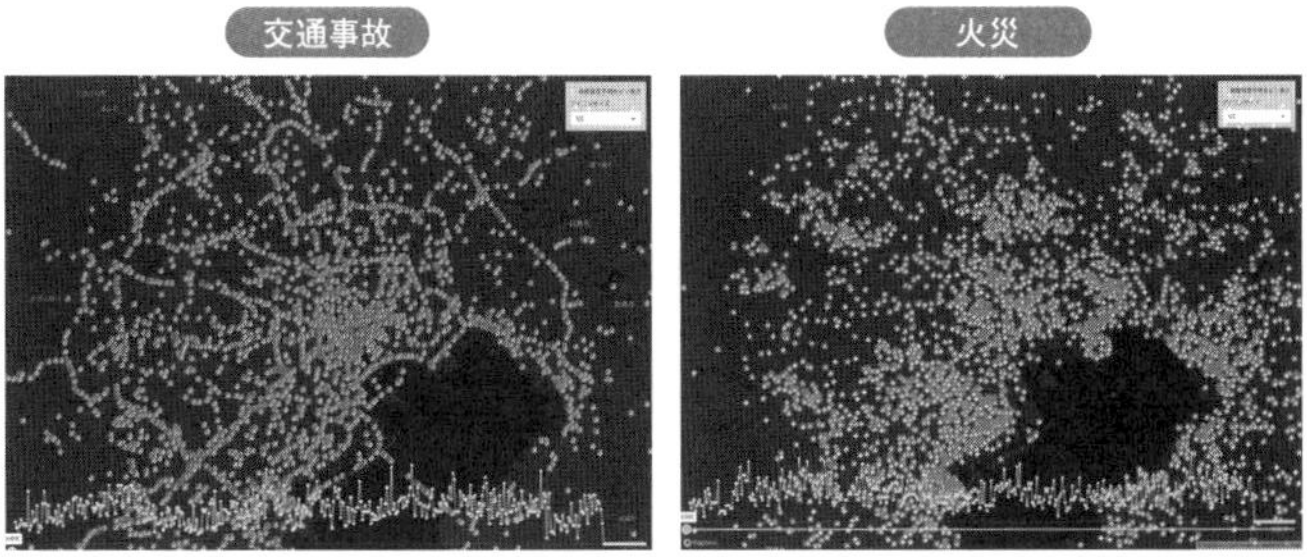

東日本大震災が大きな転換点に

日本の報道現場でＦＡＳＴＡＬＥＲＴのようなツールが求められるようになった背景には、２０１１年に発生した東日本大震災がある。当時、日本ではまだＴｗｉｔｔｅｒが普及し始めたばかりで、今と比べると利用者はかなり少なかったが、それでも被災地から深刻な被害を伝える投稿や救助を求める投稿が多数相次いだ。当時、東京都副知事だった猪瀬直樹氏が、宮城県気仙沼市の建物屋上に取り残された人々の情報をＴｗｉｔｔｅｒで得て東京消防庁に連携し、ヘリによる救助につながったエピソードは有名だ。

報道取材の観点で見ると、東日本大震災では通常、被害の状況を確認するための取材対象であるはずの自治体や消防・警察当局自体が被災したり、被災していなくても救助活動などでパンクしたりしている状態で、従来の取材手法では十分な情報収集や状況把握ができなかった。被害が広域にわたっただけでなく、原発事故や余震など複合的に事態が動く状態で、記者の人海戦術でも情報がカバーしきれていなかった。こうした局面で、Ｔｗｉｔｔｅｒが現場の状況をリアルタイムに可視化する役割を果たしたのだ。

海外に目を向けると、中東では早くも２０００年代前半から、イラク戦争など紛争の危険地取材の手段として、市民の手による写真や映像の報道活用が進んでいた。空爆や頻発するテロの現場では、命を落とすジャーナリストも続出しており、報道取材といえども現地に入るハードルは高い。また、入れたとしても事件や被害の「その瞬間」を捉えることはできない。記者やカメラマンが撮れるのは、何かが発生した「その瞬間」ではなく、それが「起きた後」の現場に過ぎないのだ。発生の瞬間を捉えられるのはその瞬間に現場にいた目撃者つまり一般市民に限られる。**こうした市民の手による写真や映像の報道活用は、中東に多くの取材リソースを割いていた欧米メディアにも広がっていった。**

災害や事故にしろ、テロにしろ、非常事態のその瞬間が捉えられていれば、後に状況がより正確に分かり、報道のみならずその後の捜査や検証においても非常に重要な手がかりになる。市民の間でカメラ付きの携帯電話が普及し始め、その通信を支える通信インフラの高速化や大容量化も進み、そこに情報流通を担うＳＮＳも普及していったことで、中東や欧米では日本よりも早く市民記者的な取材手法が根付き始めていたのだ。

取材する価値のある情報をどう見つけ出すか

こうした状況を踏まえて、２０１２年以降、ＮＨＫや共同通信など報道各社ではＳＮＳを新たな取材現場と見なして、ＳＮＳ上の情報を収集する専門チームを立ち上げ始める。記者や学生アルバイトがチームで24時間体制でＳＮＳを監視するのだ。しかし、ここでひとつ大きな問題が生じる。

ＳＮＳの膨大な投稿の中から、人の目で、取材する価値のある情報「だけ」を見つけ出すのが至難の業なのだ。

当時、筆者自身が実際に報道各社のＳＮＳ取材現場を見学したところ、記者がＴｗｉｔｔｅｒを手動で「事故」「火事」などと検索している様子を見かけた。だが、その方法で引っかかるのは「自撮りが事故った」（自撮り写真が失敗した、の意）とか「火事が忙しくて大変」（家事の誤字）といった、リスク事象に全く関係ない投稿ばかりで、取材につながるような投稿は１００件に1件あれば良いほうだ。

この非効率を何とかしなければ、ＳＮＳを取材現場として活用するのは難しい。そう考えたテレビ局が自らＳＮＳ取材の自動化を目論むシステムの構築を検討したり、システムベンダーと連携してツールを開発したりする動きもあったが、いずれも上手くいかなかったという経緯も耳にした。

このままでは報道にせっかく芽生えた、ＳＮＳを新たな取材現場とする機運が萎《しぼ》みかねない。そんな時に、我々ＪＸ通信社が株主である共同通信社からＦＡＳＴＡＬＥＲＴの原型となるシステムの開発の相談を受けた。それ以前にたまたま、**ＳＮＳ上で速報性のあるニュースの種を発見する技術を開発していたためだ。**

ＦＡＳＴＡＬＥＲＴが機能し始めた

こうして今のＦＡＳＴＡＬＥＲＴの原型を作ったところ、ＳＮＳ上から災害や事故、事件などの取材につながる有効な情報を極めて効率的に収集できるようになった。ＡＩを用いて、ＳＮＳ投稿に含まれるテキストや写真、動画を機械的に分析し、「どこで、何が起きたのか」を投稿からわずか数十秒で特定できるようになったのだ。しかも、単純な検索のように、実際の事故や事件と関係のないノイズ（雑音）となる情報は入ってこない。開発に携わっていた筆者自身も、全国各地で様々な事故や火災の情報を覚知し、教えてくれる様を驚きながら見ていた。共同通信社には、ＦＡＳＴＡＬＥＲＴの情報の品質についてああでもない、こうでもないと意見してくださる方がいたが、彼はＦＡＳＴＡＬＥＲＴのＡＩが報道価値を正しく判断できる能力を獲得したと見ると原型版の状態であるにもかかわらず最初に契約してくれた。

２０１６年夏、こうして作ったＦＡＳＴＡＬＥＲＴの原型版をフジテレビに持ち込んだところ、非常に好評を博し、それがきっかけで正式に製品化することになった。その直後に出会った日本テレビやテレビ朝日の担当者の方は、原型版を早速業務に取り入れたうえで、使いにくいところを洗い出したり、便利な新機能のアイデアを多数授けていただくなど、多大な協力をいただいた。そして、２０１６年９月の正式リリースから約半年後の２０１７年４月には、ＮＨＫと全ての民放キー局に導入されるに至った。この半年間はわずかな期間だったが、その間、夕方の時間帯のニュース番組に放送中に発生した火災や事故などの情報が、ＦＡＳＴＡＬＥＲＴの導入されている局とそうでない局で30分以上差がつくような出来事が続いた。そのせいか、テレビ各局から問い合わせが相次いだのだ。その後、**ＦＡＳＴＡＬＥＲＴは地方局や新聞社にも普及し、今や全国の大半の報道機関で活用**

されている。

実は、ＦＡＳＴＡＬＥＲＴは単にニュース番組用の「視聴者提供」の映像を集めるだけでなく、日々のあらゆる災害や事故、事件の情報収集に使われている。ＳＮＳからの「視聴者提供」の映像が使われていないニュースでも、密室の事件以外はＦＡＳＴＡＬＥＲＴが取材の端緒となっているものが多い。

報道現場では、日常的に生じる事故や事件などのニュースは「発生モノ」と呼ばれている。発生モノの取材は、従来は警察や消防当局が主な情報源だった。主に新人の記者が、警察や消防に数時間に1回電話をして「何か起きていませんか」と聞く「警電」（警戒電話の略）という業務があったり、あるいは記者クラブで入手できる情報や無線の傍受で入手できる情報が使われたりするケースもあった。いずれにせよ、警察・消防当局が覚知していない情報や、知っていてもあえて出さない類の情報にはアプローチできなかったのだ。

だが、ＦＡＳＴＡＬＥＲＴの普及以後は、現場にいる目撃者から間髪入れずに発生モノの情報が入るため、時に当局に先んじて情報を得ることができるようになった。結果、従来よりも効率的に「その後」の取材に注力できるようになったのだ。

「ネットやＳＮＳだけで取材して楽をしようとするな」

ＦＡＳＴＡＬＥＲＴの普及後、Ｔｗｉｔｔｅｒ上では、テレビ局や新聞社のアカウントが火災や事故などの情報を投稿しているユーザーに対して取材を申し込んでいる様子がよく見られるようになった。これに対して、他のユーザーが「ネットやＳＮＳだけで取材して楽をしようとするな」とか「現場に足を運んで取材すべきだ」といったコメントを大量に付けて、結果そのテレビ局の不祥事かのように大量に拡散してしまうということもままある。

これには、大きな誤解がある。テレビ局や新聞社による発生モノの取材が、「ＳＮＳだけ」で完結することはまずないのだ。

報道機関は、FASTALERTで事故などの発生に気づくと、まず関係先に電話などで確認しつつ、現場に記者やカメラマンを急行させる。事件、火災なら警察や消防に確認するし、高速道路の事故なら高速道路の運営会社の広報に、鉄道に関するトラブルなら鉄道会社の広報などにそれぞれ確認取材を入れていくことになる。その時には既に、取材クルーが現場に向かっている。時にはヘリコプターも飛ばす。

こうした複合的な取材活動の一環で、SNSで現場の状況を投稿している人にもより詳しい話を聞くことで、更に情報を集めているのだ。もしSNS上に、その発生モノの決定的な瞬間を捉えた動画や写真がある場合、それが実際にその投稿者によって撮影されたものかどうかを確認しつつ、放送での使用許可を得るプロセスも踏んでいく。

実は、本来このプロセス自体も、法律的には必要ないが報道機関が自発的にとっている手続きだ。著作権法第41条には、次のような一文がある。

写真、映画、放送その他の方法によつて時事の事件を報道する場合には、当該事件を構成し、又は当該事件の過程において見られ、若しくは聞かれる著作物は、報道の目的上正当な範囲内において、複製し、及び当該事件の報道に伴つて利用することができる。

つまり、本来、法律的に報道の目的に照らして正当な範囲内においては、著作者である撮影者に対して許可を得る必要はないのだ。実際、2018年の大阪府北部地震などの際には、一部のテレビ局が非常手段として、都度撮影者に許可をとらずにSNS上の写真や動画を放送で紹介する形で被害状況を報道したケースがあった。だが、それはあくまで重大な災害時などの際の非常手段に過ぎない。通常、報道各社はTwitterで投稿者に声をかけてダイレクトメッセージで話を聞き、報道で利用する許可を得るなど、**あえて手間のかかるプロセスをとっている。それは正確な情報をより具体的に伝えるためなのだ。**現場に足を運ばず、ネットやSNSだけで取材を完結させているわけではなく、**むしろよ**

り手間をかけて情報を集めているのが実態である。

ＳＮＳで見られる報道機関の取材活動は、情報を集め、報道内容の厚みを増したり、細かな事実の裏付けをとったりするための膨大な取材活動のほんの一部に過ぎないということを知ってほしい。

地震や水害などの大規模災害時に真価を発揮

ＦＡＳＴＡＬＥＲＴのようにＡＩで情報を集めて分析するしくみが**更に真価を発揮するのは、地震や水害などの大規模災害時だ。**こうしたケースでは、広いエリアで同時多発的に様々な出来事が発生する。

例えば大きめの地震ならば、発生直後は鉄道の急停車や停電、モノが壊れるなどの被害が多数報告されるが、10～20分程度経つと、建物や塀などの被害や道路の地割れ、関連して発生した火災などの情報が相次いで報告されるようになる。豪雨による被害ならば、一般的にイメージされるような川の増水、洪水だけではなく、通行に支障を来すような冠水被害やアンダーパスの水没、床上・床下浸水、土砂崩れなどの災害が街中あちらこちらで相次ぐことになる。

こうした状況下で、人海戦術で膨大な情報を収集、整理して状況を把握しようとしても、見落としてはいけない被害状況を見落としかねない。

実際、**大規模災害時には過去にあまり報道されていなかったことも発生している。**例えば、コンビニやスーパーで棚が空になってしまう「モノ不足」の状態だ。あるテレビ局で災害報道に携わっている記者によれば、以前はこうした情報には報道機関がなかなか気づけなかったという。報道機関の主な取材先は警察や消防だが、お店にモノがないからといって警察に通報する人はいないので把握が遅れるのも無理はない。

だが、ＳＮＳ取材が本格化してからは、災害発生直後から店舗に行列ができて、食料品を中心にモノが不足する状況が手にとるように分かるようになったことで、結果として、物資や募金の支援を呼びかけるようになったり、地域住民に店舗の営業状況を知らせる報道につながったりしているという。実は、非常時の「モノ不足」の話題は報道するにはやや難しいテーマである。行き過ぎると視聴者が焦って買い出しに出てしまうことで、かえって現地の店舗でのモノ不足が深刻化するリスクもある。その点のバランスのとり方は難しいのだが、記者がＳＮＳ取材で掴んだ情報をもとに現地で足を使って取材し、**リアルな状況をより詳しく伝えられることで被災地支援にもつながる**ようになったことは、ＦＡＳＴＡＬＥＲＴの開発者として良かったと考えている。

デマの可視化にＡＩをフル活用

デマの可視化にもＡＩは有用だ。２０１８年６月に発生した大阪府北部地震では、主に

Ｔｗｉｔｔｅｒ上で「大阪ドーム（京セラドーム大阪）の屋根に亀裂が入っている」という趣旨の写真付きのデマや、特定の鉄道路線で「脱線事故が生じた」とか「ビルが倒壊した」といったデマが拡散された。京セラドーム大阪の一件は、ドームの屋根に設置された鉄骨状の階段を亀裂と誤認した人が相次いだためにより広く拡散されてしまったようだが、これらのデマもＦＡＳＴＡＬＥＲＴでは「デマの疑いのある話題」として検知していた。
また、同年９月に発生した北海道胆振《いぶり》東部地震でも、自衛隊員から聞いた情報と称して「５～６時間後に大きな地震が来る」とか「大規模な断水が始まる」といったデマがＬＩＮＥを中心に拡散されたが、これも同様に疑わしいものとして検知していた。

２０２２年９月に静岡県を襲った豪雨では、浜松市や静岡市で土砂崩れなどの被害が相次いだが、この時には画像生成ＡＩを使った架空の水害デマ画像がＴｗｉｔｔｅｒ上に投稿され、少なくとも５０００人以上が拡散する事態となった。この投稿も、ＦＡＳＴＡＬＥＲＴでは検知してまもなく「デマの疑い」として利用者に周知させていた。

こうしたデマの存在自体が大きな問題なのは言うまでもないが、ＳＮＳやそれを監視するＡＩ技術のなかった時代にはそもそもデマの流通、拡散自体が全く目に見えず、ほとんど打つ手がない状況だった。**ＡＩの報道機関や自治体がデマの存在や内容を覚知できるようになったことで、デマへの注意を呼びかける報道につながったり、自治体が注意喚起したりするなどの対応を先んじて行えるようになったのだ。**

今日、ＦＡＳＴＡＬＥＲＴはビッグデータを通じて各地の実空間の状況を正確且つ網羅的に把握できるツールとして、報道に限らず様々な領域に活用が広がっている。政府、自治体の防災・減災対策はもちろんのこと、電力や通信などのインフラ企業における障害・事故検知やメンテナンスへの活用の他、サプライチェーンがグローバルに広がっている製造業や、それを支える物流企業のリスク管理などでも活用されている。

例えば、産業機械商社大手ユアサ商事のグループ会社であるユアサシステムソリューションズが開発した「リスクセイバー」は、ＦＡＳＴＡＬＥＲＴで収集した災害、事故などのリスク情報のデータと、各地に広がるサプライヤーからどんな部品や資材を仕入れているかというデータをマッチングして、リスク事象が発生した際のサプライチェーンへの影響を最小限に留めるソリューションとして好評を博している。

特に機械を作るメーカーの場合、多数の部品を仕入れてひとつの製品にして出荷するケースが多いが、必要な部品が１００個あるとしてそのうちひとつでも入手できなくなれば、製品が一切出荷できないリスクに直面する。そこで、ＦＡＳＴＡＬＥＲＴのリスク情報データを活用してサプライヤーに影響のありそうな非常事態をリアルタイムに覚知し、影響を受けそうな部品や図面をすぐに割り出すことで、部品の代替調達などサプライチェーンへの影響を最小化するなど初動対応の加速につなげられるというわけだ。

痕跡が残りにくい被害もデータとして蓄積

また、災害時にFASTALERTのAIで収集したデータを用いて、今後の防災・減災対策に活かす研究もある。例えば、東北大学災害科学国際研究所では、水害の研究のために過去に発生した災害時のFASTALERTのデータを用いている。

水害には、河川から堤防を超えて水が溢れるような「外水氾濫」と、雨量が多く排水しきれないために排水溝やマンホールから水が溢れてしまう「内水氾濫」の2種類がある。一般的に「水害」や「洪水」と聞いた時、多くの人がイメージするのは堤防が決壊して街中が水浸しになってしまうような状況だろう。それが前者の「外水氾濫」に当たる。一方で、台風や大雨などの際に、川が溢れたわけでもないのに街中などで水が溢れてしまう「内水氾濫」は、実は浸水しても跡がはっきり残らないことが多い。このため、災害発生後、どこまでの範囲でどの程度水に浸かってしまったのかといったデータがとりにくく、記録や対策がしにくい災害となっている。

一方、Ｔｗｉｔｔｅｒをはじめとした ＳＮＳでは、水害時、それが内水氾濫か外水氾濫かにかかわらず、街中の被害状況がリアルタイムに投稿される。写真や動画が添付されている投稿ならば、その中に写る建物や水に浸かった車の状況などを見て、被害の生じている場所とおおよその浸水深が推測できる。**痕跡の残りにくい内水氾濫の全容を明らかにできる情報源として、非常に有用である。**

このため、内水氾濫について研究を行っていた東北大学災害科学国際研究所にＦＡＳＴ ＡＬＥＲＴの水害関連のデータを提供して、今後の対策にも役立ててもらうことを企図したのだ。

地域の「自助・共助・公助」に貢献する

災害時の被害状況の可視化と、それを活かしたその後の対策は、地域住民の安全に直結する重要な防災施策となっている。その取り組みをより改善し、各地の防災・減災に貢献するため、自治体との連携も進めている。

ＪＸ通信社は、ＦＡＳＴＡＬＥＲＴの開発・運営会社として全国で初めての自治体との連携協定を佐賀県武雄市と締結した。武雄市は２０１９年と２０２１年に大きな水害に見舞われている。こうした事態に公助の主体である行政が取り組むだけでなく、市民が自らの身の安全を守る自助、情報を共有して助け合う共助を促進するために、ＪＸ通信社がＦＡＳＴＡＬＥＲＴとともに運営している一般消費者向けのニュース速報アプリ「ＮｅｗｓＤｉｇｅｓｔ」（ニュースダイジェスト）も活用した連携を始めたのだ。

実は、TwitterなどのSNS上に投稿される災害や事故などの投稿の多くには、位置情報が付いていない。Twitterの全投稿のうち、位置情報が付与されている投稿はわずか１～２％とも言われている。このため、FASTALERTでは、写真や動画に写り込んでいる建物や看板、標識などの風景などを手がかりに場所を特定したり、投稿者が直前に行っていた場所を分析したりするなどして、「建物レベル」まで正確な位置情報を特定している。だが、こうしたアプローチだけでは、どうしても災害や事故の発生場所が特定しきれなかったり、やや曖昧な情報になってしまったりすることもある。

そのため、全国で600万件以上ダウンロードされているNewsDigestのユーザーに、位置情報付きで災害や事故などの情報を投稿してもらい、FASTALERTのAIに取り込んでSNSなどの他の情報とともに分析することで、より精度の高いリスク情報を提供できるようにしているのだ。情報を投稿してくれたユーザーには、わずかながらAmazonギフト券やPayPayポイントなど、普段の買い物にも使えるポイントが付与されるため、市民からすれば身近なリスクの情報を投稿することでポイントがもらえて、地域の安全・安心にも貢献できるというしくみになっている。

近年、防災においては「自助・共助・公助」という考え方が提唱されている。人口減少社会の中で、行政が担う「公助」の役割だけでは対策や危機時の対応にも限界がある。そこで、市民が自分自身の身を守る「自助」や、地域で助け合う「共助」の役割を加速させることがより重要になっているのだ。地域で暮らす市民が、ＮｅｗｓＤｉｇｅｓｔアプリを通じてリスク情報を得て対策する「自助」だけでなく、市民同士で情報を提供しあう「共助」を実現し、市民の情報をもとに自治体の「公助」の役割もサポートする。

こうした、**自助、共助を加速させることでレジリエンス（災害対応力）を高めることは、今後ローカルメディアが「地域の情報のライフライン」として担うべき重要な役割でもある。**

ＪＸ通信社では、自治体との連携協定を通じて災害などのリスク情報に留まらず、地域の様々な情報を集める取り組みを進めている。先に紹介した佐賀県武雄市と同様の取り組みは、隣の嬉野《うれしの》市の他、兵庫県三田《さんだ》市や、武雄市同様に水害に見舞われた経験を持つ茨城県常総市など全国各地に広がっている。

こうして、世界中の「どこで何が起きたか」をリアルタイムに覚知できるようになったことは、報道、ニュースのあり方を変化させただけでなく、**身近な様々な場面で意思決定やアクションにもつながっているのだ。**あなたのＳＮＳ投稿も、気づかないうちに回り回って誰かの命を助けたり、どこかの会社の事業継続につながったりする重要な情報として活かされているかもしれない。

第5章

アンケートで世論やマーケットを知る

選挙報道はデータに対して曖昧だった

筆者は、大型の国政選挙や地方選挙がある度に「選挙報道の専門家」として番組やデジタルメディアで選挙の解説を求められる。経営するJX通信社で、**選挙の情勢調査をテクノロジーで機械化して精度を高める取り組みをしているため**だが、データをもとに選挙の情勢を解説し、実際に結果が的中する度にまるで特殊技能のように評価される経験をしてきた。

恐らく、その背景には日本の選挙報道がデータに対して極めて曖昧だった経緯がある。

例えばアメリカでは、大統領選挙や中間選挙など、大型選挙の度に様々な報道機関や大学などの研究機関が世論調査を主催し、その結果を具体的な数値で公表する。その内容は、単に大統領や政党を支持するか否かといったシンプルなものだけでなく、州などの地域別のデータや、黒人や白人、ヒスパニック（ラティーノ）など人種別のデータ、学歴別のデータなど多岐にわたる。そうした属性に応じて政治的態度や投票行動が大きく変わるという事情もあるが、こうした**データを根拠にして選挙情勢を具体的に、且つ客観的に読み解くという「文化」が報道の中にもある程度根付いている**ように見える。

一方、翻って日本の選挙報道を見ると、どこまで行っても曖昧模糊としている。日本では**公職選挙法第１３８条の３に「人気投票の公表の禁止」という規定**があり、これを踏まえて報道各社の選挙情勢をめぐる報道も、**あえてぼかした形で行われる慣習**があるのだ。

例えば、新聞社やテレビ局による選挙の情勢報道で「A候補とB候補が競り合う」とか「A候補がやや先行、B候補が追う」といった表現を見かけたことはないだろうか？　これがその慣習の一例である。これらの報道にあたっては、報道各社はほぼ必ず調査を行っており、実際にはA候補30％、B候補25％などと具体的な支持率の数値を得ている。それにもかかわらず、あえて「接戦」「競り合う」「先行」「安定」など、**情勢報道に使われる**

独特の用語に変換することでぼかして書かざるを得ないのだ。

何を隠そう、筆者もこうした曖昧な「情勢報道文学」をもとに、票読みをすることが幼い頃からの趣味のひとつだった。国政選挙ともなれば、新聞は数面使って各選挙区の情勢を一斉に掲載する。それらの記事を緻密に読み込んで、この選挙区はこの程度差が開いているのではないか、などと行間を読むような分析をして当落を予想していくのだ。

「情勢報道文学」の用語には一定の尺度がある

実は、この「情勢報道文学」で用いられる「接戦」「競り合う」などの独特な用語は、報道機関によって一定の尺度があり、調査で得られた数値にある程度忠実に対応している。例えば「先行」なら10ポイント以上リード、「接戦」なら5ポイント以内の差、といった具合だ（実際の基準は社により異なる）。そして、情勢報道で出てくる候補者名の順番も、

図表15　「当選確率シミュレータ」の予測（2022年参議院選挙）

選挙区議席数	自民	公明	立憲	維新	共産	国民	れいわ	無所属
当選確率シミュレータの予測（7/9）	44	7	10	6	2	1	1	5
実際の結果（7/11）	45	7	10	4	1	2	1	5

その数値の順位に沿ったものとされている。つまり名前が前に出てくる候補者が有利で、後に出てくる候補者が不利なのだ。そうした「情勢報道文学」特有の表現をまとめて分析することで候補者別の「当選確率」を割り出し、選挙結果に対してかなり正確な予測を出したという研究もあるほどだ。

２０２２年の参議院選挙では、まさにその研究をしている駒澤大学の梅田道生准教授（専門は選挙制度や投票行動論など）とのコラボレーションで、ＪＸ通信社から「当選確率シミュレータ」(https://election2022.newsdigest.jp/prediction) をリリースした。多少のブレはあるものの、概ね正確と言ってよい結果だろう。報道各社の情勢調査がある程度正確であり、且つ情勢報道も概ね数値に忠実に行われていることを示唆している。

ただ、定量的な情報をあえてぼかして定性的に表現する選挙報道が、一般読者にとって分かりやすいとは言えない。その悪影響か、選挙が近くなると、多くの政治評論家が**情勢や有権者の関心度についてデータの裏付けなく話す、占いのような解説もよく見られる。**

また、近年は経営難で選挙情勢調査に充てる費用が捻出できないという事情からか、調査をせずに「A候補が先行している」「B候補とC候補が激戦」といった情勢報道に踏み切る報道機関もごく一部ながら出てきている。こうした情勢報道は、自社で調査をしない代わりに政界・報道関係者の間で流布される「○○党の情勢調査の結果」などと称する真偽不明の数値や、各陣営への取材に基づく推測によって書かれているようだ。

だが、選挙に臨む候補者や陣営関係者は誰もが必死である。優勢な候補者の陣営ならば、雰囲気が緩まないように「ライバル候補に追い上げられて苦戦している」と言いたいし、下馬評で苦戦が噂される候補ならば「他候補と意外といい勝負になっている」と宣伝して勢いをつけたいものだ。**真偽不明の「情勢調査の数値」や陣営関係者の発言は、こうした**

意図に基づいて発信されていることが多い。そうした意図に基づく捏造や創作、誘導のリスクを排除できないデータや取材実感に依拠して「情勢報道」を行うのは、結果として読者の信頼を裏切りかねない。そこまでするくらいならば、何も書かないほうがマシだろう。

儲からないが、重要な選挙報道

ＪＸ通信社では、こうした状況を変えて、確かなデータに基づく選挙報道をなるべく残すために、**選挙の情勢調査を機械化しながら調査精度を高めることを目指したソリューションを開発**し、２０１７年以降、全国のテレビ局や新聞社に提供してきた。

報道機関による選挙の情勢調査は、従来「オペレーター」と呼ばれる係の人がコールセンターのような大部屋に集まって一斉に電話をかける、文字通りの人海戦術で行われていた。選挙が近くなると、新聞社の担当者は選挙が行われる可能性の高い日程を睨みながら、オペレーターと彼らを収容するスペースを確保するという業務に追われていた。非常にコストと手間がかかる話である。

そこで問題となるのが、新聞社やテレビ局にとって、選挙報道が儲かるものではないという点だ。新聞社にせよテレビ局にせよ、報道にかかるコスト負担は重く、その中でも選挙報道にかかる負担は軽視できないものがある。選挙報道は通常の取材だけでは完結せず、事前の情勢調査に加えて投開票日に当選確実を判断するための出口調査にも費用がかかる。となれば、調査自体をやめたり、他社と合同で調査を行ったりしてコストを抑えようとすることになる。その結果、読者がデータに基づく選挙の争点や有権者全体の関心事を知る機会が喪《うしな》われたり、選挙全体への関心を持てなくなったりする一方、情勢をめぐる陣営発の怪情報やデマがより広く拡散することで社会に負の影響を及ぼすことになる。

そこで、JX通信社では、電話やネットを通じた調査のコストをテクノロジーで大きく引き下げ、報道機関が調査を継続しやすい環境を作りながら、加えて、調査で得られたデータをもとに選挙の争点や有権者の関心の行方、正確な情勢を法律の枠内で最大限分かりやすく伝えるデータジャーナリズムの取り組みを進めている。基本的には、各地の選挙で地元の新聞社やテレビ局と「合同調査」を行い、紙面やテレビニュース、デジタルコンテンツを通じて情勢を伝えるというスタイルである。

だが、2022年の参議院選挙では自社で初めて全国全選挙区の情勢調査を行い、その結果に基づく情勢報道を行った。その結果、選挙区の議席全75議席の当選者のうち73人を的中させたことで、報道各社の情勢報道の中では最も正確な結果を導き出すことができた。

また、2020年に行われた、いわゆる「大阪都構想」をめぐる住民投票では、在阪局のABCテレビと合同で7週間連続の情勢調査（https://www.asahi.co.jp/abc-jx-tokoso/）を行い、最終盤の調査結果に基づく賛成対反対の割合を「49・2％対50・8％」と導き出した。実際の住民投票の結果は賛成対反対が「49・4％対50・6％」となり、調査結果と実際の投票結果の差はわずか0・2ポイントだった。

ＪＸ通信社の情勢調査ソリューションは、電話調査ならば音声合成技術などを活用して年齢層などのバランスよく回答を集めるしくみ、ネットやスマートフォンアプリを活用した調査ならば位置情報などのデータも活用して地域特性を捉えるしくみ、そして、それらによる調査結果を数理モデルで補正してより正確な選挙結果を予測する**データサイエンスの知見の集合体**である。

それらテクノロジーやデータサイエンスの知見を総動員した結果、選挙結果に対して高い調査精度が実証され、ＦＡＳＴＡＬＥＲＴ同様に短期間で全国の報道機関に普及したのだ。

定量調査の分析を学ぶ最高の教材

こうした、選挙報道における調査の裏側をあえて紹介したのは、実は**世論調査や選挙情勢の報道が、一般的なビジネスにおいてもマーケットを定量的に知ることでより正確な意思決定につなげることを学ぶにあたり、最高の教材だと思うからだ。**

報道各社が行う世論調査や選挙の情勢調査は、選挙結果を通じて必ず「答え合わせ」される。ある報道機関が調査に基づいて「A党の支持率が高く、B党の支持率は低い」と報じていたにもかかわらず、実際の選挙でB党の得票数がA党を上回ったりすれば、その社の調査は外れてしまったということになる。だからこそ、選挙情勢や世論の調査は定量調査としての実力が露骨に問われるし、その分、手間もコストもかかってきたのだ。それに比べると、マーケティングリサーチの場合は市場を取りまく複雑な状況をシンプルに仮定して調査せざるを得ず「答え合わせ」も難しい。

だから、**選挙の情勢調査は、様々な定量的な調査結果を読み解くための格好のトレーニングの教材になり得る。**その前提のもと、選挙の情勢報道や調査結果を正しく読み解き、選挙結果を正確に予測するコツ（＝選挙に限らず、マーケティングリサーチなどの定量的な調査結果を正しく読み解くコツ）を紹介していきたい。

市場における「ゲームのルール」を把握する

選挙の戦略はシンプルだ

マーケティングリサーチなど、**一般的な定量調査を行う場合、その背景には目的なり、その目的につながる戦略があるはずだ。**例えば、食品メーカーであれば特定の商品がある食品ジャンルの中でトップシェアになるようにしたい、そのための手がかりを探りたいという目的があるだろう。あるいは、大型店舗であれば、商圏の重なる他の店舗から顧客を奪うための手がかりを探りたいという目的もあるかもしれない。戦略上重要な指標も、シェアや全体の売上、顧客単価など様々なものが考えられる。

選挙の場合は非常にシンプルである。定数1の選挙区ならば、最も得票数の多い候補者が勝ち。定数5の選挙区ならば、得票数1位から5位までの候補者が勝ち、6位以下の候補者は負け。だから、得票数や、その割合である得票率が最も重要な指標となる。

そして、当然ながら票は「選挙区」という地域的な縛りの中からしか得られない。衆議院選挙の場合、選挙区（定数1の小選挙区）は全国に289あるが、有権者の総数は約1億人だから、1選挙区あたり平均で35万人弱の有権者がいることになる。そして、この35万人弱の有権者のうち、選挙に行く有権者と行かない有権者がいる。2021年の衆議院選挙では、投票率すなわち選挙に行った有権者の割合は55・93％だった。これと同等の水準ならば、1選挙区あたり19万人強の有権者を取り合うというゲームだ。

こうして見れば、**選挙の情勢調査は、選挙区ごとに、投票に行く有権者数という「市場**

規模」を適切に測り、その市場規模の中で、各候補者の得票率つまりシェアを把握する調査だ、ということになる。

情勢調査を用いるのは、報道機関だけではない。候補者、陣営もデータで選挙戦略を立案し、効率的に活動して確実な当選を期すために、情勢調査を活用することが多い。単に自らの現在の順位や支持率を把握できるだけでなく、調査時点での現状と当選に必要な支持率のギャップを測り、そのギャップを埋めるためにどんな有権者をターゲットにしてどのような活動をすれば当選できるか、戦略をアップデートする重要なヒントになるからだ。

では、どのようにして票を読み解き、各候補の戦略を見定めるべきか、情勢報道を見る読者の立場から、実際の選挙での情勢報道を例に紹介してみたい。

2022年3月の石川県知事選挙のケース

2022年3月に行われた石川県知事選挙は、現職の引退によって新人同士の争いとなったが、前年に地元の石川県第1区選出の自民党衆議院議員だった馳浩《はせひろし》氏が出馬の意向を表明した後、同じく石川県選挙区選出の自民党参議院議員だった山田修路《しゅうじ》氏も立候補を表明したことで、いわゆる「保守分裂」の構図ができた。更にその後、当時現職の金沢市長だった山野之義《ゆきよし》氏も出馬を表明したことで最終的には「保守3分裂」の珍しい構図となった。

石川県は、長年にわたって自民党の地盤の強い土地柄だ。選挙戦終盤に、我々JX通信社が地元の北國《ほっこく》新聞社、北陸放送（MRO）、テレビ金沢とともに行った調査（以下、北國新聞調査）では、自民党の支持率は46・58％で、他党を引き離していた。

図表16　石川県内の政党支持率（2022年3月）

	支持政党なし	自民	立憲	維新	公明	共産	国民	社民
支持率	32.82%	46.58%	7.24%	6.22%	2.34%	1.65%	1.15%	0.66%

※北國新聞社、北陸放送、テレビ金沢、JX通信社調査より

これが参議院選挙のように、自民・公明両党が推す与党候補と、立憲民主などが推す野党候補の一騎打ちであれば、どうしても基礎的な支持層のボリュームがはるかに多い与党候補が圧倒的に有利な構図となるため、予測は難しくない。

しかし、自民党候補が割れるとなるとそうはいかない。それも地元でそれぞれ知名度のある候補者が争う形で「保守3分裂」ともなると、誰にどう票が流れるのか、情勢報道を読み込まずして適切に予測するのは困難だ。

そこで、まず全体の情勢を各社の報道から拾っていく。

北國新聞社調査では馳氏、山野氏、山田氏が「接戦」と表現されていた。そして、同じ時期に調査していた朝日新聞でも、馳氏、山野氏、山

田氏が「競る」「横一線に並ぶ激戦」とされている。これら2社の表現から、調査のデータとしては両社とも「馳氏＞山野氏＞山田氏」の順位であることは同じだが、その3人の差が恐らく数ポイント以内でほぼ誤差範囲に収まっている程度の僅差であることが推測できる。選挙で数ポイントの差はあってないようなものであり、だからこそ「横一線」などと表現される。実際に名前順が後の候補が逆転するケースもままあるから、この情報だけだと、「誰が当選してもおかしくない」という程度の判断しかできない。

そこで、次に各候補を支持する有権者の内訳を詳しく見ていくことになる。北國新聞調査では、自民党支持層の中では「馳氏が優勢を保ち、山田氏、山野氏に差をつけている」とされていた。この他、立憲民主党支持層では「山田氏が浸透し山野氏が続く」、日本維新の会支持層では「山野氏が馳氏、山田氏を引き離す」、公明党支持層では「馳氏の支持が厚い」、そして支持政党がないと答えた無党派層では「山野氏の支持が多く、山田氏、馳氏と続く」となっていた。

一方、朝日新聞調査では自民党支持層で馳氏が5割弱、山田氏が3割強、山野氏が2割弱の支持を集めていること、無党派層の支持は3人で「分け合っている」ことが紹介されていた。この他、馳氏については「男性のほうが支持が厚い」、山野氏は「50～60代の支持が厚め」、山田氏は「70歳以上からの支持が比較的厚い」などと紹介されていた。

今回のように、同時期に複数の社の調査が行われていた時は、**まず各社調査結果に共通する傾向を拾い出すことが重要だ。**今回の北國新聞調査、朝日新聞調査では、前述の通り全体の順位は「馳氏＞山野氏＞山田氏」であった一方で、自民党支持層に絞って見ると「馳氏＞山田氏＞山野氏」と、2位と3位が入れ替わる点が共通していた。そのうえで、北國新聞調査は自民党支持層の中でも馳氏を「優勢」としており、朝日新聞調査では馳氏が「5割弱」支持を集めているとしている。半数近い有権者が含まれる自民党支持層の内訳が、両社ともほぼ一致しているのは重要なヒントだ。

対する無党派層では、2社の書きぶりにやや食い違いがあるが、無党派層はその割合の大きさほどの力はない。無党派層になる人は「政治や選挙に関心はあるが、支持したい政党がない人」ばかりではなく、**「政治や選挙に全く関心がないゆえに支持政党がない人」が含まれるからだ。**しかも、実際の選挙結果を踏まえると恐らく後者のタイプの有権者のほうがずっと多い。こうした有権者の増加が、各地の選挙の投票率が下落傾向にある大きな要因だろう。

となると、特に自民党支持率の高い石川県においては、やはり自民党支持層の動向が選挙結果に及ぼす影響度は大きい。そのうえ、組織政党のために調査で常に数値が実態より低く出る公明党の支持層では「馳氏の支持が厚い」（北國新聞調査）という。全体の数値だけでは３人とも僅差で「誰が当選してもおかしくない」ように見えても、実際のところ、どうやら馳氏に分がありそうだということはここまででも朧《おぼろ》げに分かってくる。

そして、北國新聞調査の報道には続きがある。

図表17　石川県知事選挙の情勢（2022年3月）

	1位	2位	3位
1区（約37万人）	山野氏	馳氏	山田氏
2区（約32万人）	馳氏	山田氏	山野氏
3区（約24万人）	山田氏	馳氏	山野氏

※北國新聞社報道より

石川県内には3つの衆院小選挙区があるのだが、この地域別に情勢を見ると、1区（有権者数約37万人）は「山野氏が支持を伸ばし、馳氏も巻き返している」、2区（同約32万人）は「馳氏が山田氏と浸透を競っている」、3区（同約24万人）は「山田氏が底堅いものの馳氏も追ってきている」とされている。

つまり整理すると、地域ごとの情勢は上図のようになっている。

1区は丸ごと、県庁所在地の金沢市だが、山野氏はこの大票田・金沢市で直近まで市長を務めていた。だから1区では強いが、それ以外の地域での支持が弱いことが分かる。対する山田氏は1区では劣勢だが3区では強い。そして、馳氏は2区でトップを走り、1、3区では2番手につけている。そして、これら選挙区別の有権者数を見ると、１区は３区の１・５倍もの数を抱えている。

この調査は終盤とはいえ、その後の数日で投票態度を決める人も多いタイミングで行われている。その段階で、山田氏は自民党支持層では馳氏に離され、トップを走る３区でも馳氏に追われているという。そのうえ、前述の朝日新聞調査を見ると、年齢層別では投票態度の決定が早い70代などの高齢者層が山田氏の支持基盤だという。言い換えると、これから投票態度を決める人の割合が多い50代以下の若年層からの支持を得られておらず、その後の伸びしろがあまり見込めない。

つまり、ここまで見れば山田氏は既にこの調査時点で当選争いからほぼ脱落していることが分かる。当時、筆者は北國新聞調査だけでなく朝日新聞調査の情勢報道も併せて見ることで、この時点で「山田氏の落選はほぼ確実だ」と判断したことを記憶している。

となると、残る山野氏と馳氏の争いが焦点となる。１区は山野氏が市長だった金沢市であり、馳氏が直近まで衆議院議員として選出されていた選挙区でもある。そして、隣の2区では馳氏がトップを走り、3区でも馳氏が山田氏に次ぐ支持を得ている。

選挙も終盤に差し掛かると残り期間は1週間もなく、非常に短い。選挙全体への関心が著しく高まると、態度を決めるのが遅い無党派層も選挙に参加する割合が高まるため、無党派層での支持が厚い候補が伸びて逆転するケースがある。その点を考慮して無党派層の支持動向を確認すると、北國新聞調査では無党派層は「山野氏の支持が多い」と指摘している一方、朝日新聞では3人で「支持を分け合っている」と微妙に書きぶりが違う。つまり、恐らく無党派層では3人の間に著しい差はなく、地域別に見れば馳氏が全県的に底堅い支持があり、且つ最も選挙に行く有権者数の多い自民党支持層でも優勢なのは複数調査で共通している。ここまで検算しながら見れば、この選挙は馳氏が僅差でも逃げきる可能性が高いことが推測できる。

実際の選挙結果も、やはりその通りだった。

図表18　石川県知事選挙の結果（2022年3月）

	馳浩氏	山野之義氏	山田修路氏
得票数	196,432票	188,450票	172,381票
得票率	34.13%	32.74%	29.95%

本来は、こうした分析に投票率の推定を加味したり、県内市町村での過去の参議院選挙、衆議院選挙の比例代表における政党別の得票数の値、そして県内での直近の首長選や議会選挙などの選挙結果等、様々な関連データを用いてもう数段突っ込んだ分析をする。だが、ここでは大きな考え方を紹介するために割愛している。

いずれにしても、**こうした情勢分析の肝は「数値の内訳をよく見る」ということだ。**

前述の通り、石川県では自民党支持層が多いため、自民党支持層の動向を特に重点的に確認した。だが、石川県に限らず日本全国で、有権者はどの政党が立てた候補かを手がかりに投票しがちなため、各政党支持層の内訳は最も重要な情報になる。

具体的に票数まで予測していくうえでは、情勢報道の記事だけでなく、オープンになっている他のデータも含めて分析していくことも可能だ。例えば、地域別にどの政党に何票投じられているかを調べたければ、衆院選や参院選の比例代表の得票数を見ればよい。こうしたデータは各自治体の選挙管理委員会のサイトや、総務省のサイトで確認することができる。その数値をもとに、自民支持層の5割を固めている候補なら○万票は見込めそうだ、といった計算ができる。

また、公明党や国民民主党のように、支持母体が強力な組織である政党の支持率は、調査結果では常に低く出がちだ。その点も、実際の選挙結果のデータに当たることで「実力」を正確に把握できる。

そして、年齢層の内訳を見るのも大きなヒントになる。当然のことだが、高齢者から強い支持を受ける候補もいれば、現役世代や若年層に強い候補もいる。例えば、70代からは

4割しか支持されていないが、40～50代では6割に支持されている候補者は、現役世代や若年層に強い候補と見ることができる。

全国の選挙で平均より投票率が高い世代は、概ね40代後半から70代までだ。そして、50代以下の現役世代には相対的に無党派層が多い。その無党派層は投票態度を決めるのが遅い。結果、40代や50代で強く支持されている候補は、投票日が近づくにつれて尻上がりに支持率が伸びていくことがよくある。

実は、候補者個人だけではなく、政党でも同様の傾向はある。日本維新の会や国民民主党は、各社世論調査で若い世代の支持が比較的厚い。両党は2021年の衆議院選挙、2022年の参議院選挙とも、事前の情勢報道における下馬評よりは得票を伸ばしているが、これはその傾向を一定反映した現象かもしれない。

調べたい選挙区のある地域で、年代別にどの程度の人口がいるかは、国勢調査や自治体のデータで確認することができる。**選挙の情勢分析に必要なデータは、その多くが行政によってオープンにアクセスできる状態にされており、まさにデータの宝庫だ。**大いに活用して、分析に活かしていただきたい。

飲食店は立地が7割、選挙も地盤が7割？

選挙情勢の将来を見通すこともできる

ここまで紹介してきたような分析の考え方に加えて、国勢調査などの人口統計の変化と過去の選挙結果を照らし合わせていくと、**直近の選挙結果だけでなく、3年後、5年後のその選挙区の有権者の状況や、選出議員の将来の得票の上下動もある程度予測することができる。**

例えば、自民党の甘利明氏は、２０２１年の衆議院選挙で当時の神奈川13区から出馬していたが、現職の党幹事長であったにもかかわらず、立憲民主党の新人・太栄志《ふとりひでし》氏に５５２９票の差で敗北を喫した（比例復活で当選）。党の幹事長は、どの政党でも党全体の選挙戦略を差配する立場であり、選挙に強い政治家が就くポストだ。結果、甘利氏の小選挙区での落選は衝撃を持って受け止められ、本人もすぐに責任をとって党幹事長を辞任せざるを得なかった。

この驚きの落選劇にも、実は長期的な人口動態の変化が影響していた可能性がある。当時の神奈川13区は、大和市、海老名市、綾瀬市と座間市の一部を含む選挙区だった。これらの市ごとに開票結果を見ると、甘利氏は最大の票田である大和市で太氏に７０００票近い差をつけられたことが敗北の決定打になっている。実は、この大和市は近年、人口の流入が続いており、２０２１年には全国で８番目に人口増加数の多い自治体だった。流入しているのは主に若い子育て世帯であり、１９９６年の小選挙区制初の衆院選以来この地で

図表19　2021年の衆議院選挙での神奈川13区の選挙結果

有権者 471,671人　/　投票率 55.77%

当	(立民) 太《ふとり》　栄志《ひでし》 新｜44歳｜当選：1回目 元シンクタンク職員、元衆議院議員秘書	130,124 (51.1%)
比	(自民) 甘利《あまり》　明《あきら》 前｜72歳｜当選：13回目｜推薦：公明 自民党幹事長、元経済再生担当大臣	124,595 (48.9%)

大和市 / 投票率54.70%	
太　栄志	56,580 (53.2%)
甘利　明	49,769 (46.8%)

海老名市 / 投票率60.43%	
太　栄志	33,597 (50.7%)
甘利　明	32,624 (49.3%)

座間市の一部 / 投票率54.04%	
太　栄志	24,059 (50.9%)
甘利　明	23,197 (49.1%)

綾瀬市 / 投票率53.50%	
甘利　明	19,005 (54.5%)
太　栄志	15,888 (45.5%)

選挙を戦ってきた甘利氏にとって、組織的な選挙戦術が通じにくい地になっていたのだろう。

政治家にとっては「地盤・看板・カバン」が重要だと言われるが、その「地盤」の地殻変動で波乱が起きる可能性は、過去のデータから十分予測できたことだった。その後、10増10減で選挙区の区割り変更が行われるにあたり、甘利氏は大和市を含む旧神奈川13区から離れ、新設される神奈川20区（相模原市南区、座間市）に移ることを決断した。相模原市は、甘利明氏が中選挙区制時代に選出されていた選挙区（旧神奈川3区）に含まれており、甘利氏の父・正氏の時代からの古い「地盤」のある地域である。

甘利氏の例に限らず、**政治家にとって特に「地盤」の重要性は大きい。**よく「飲食店は立地が7割」などと言われるが**「選挙も地盤が7割」**と言っても大げさではないほど、その影響は大きい。

筆者の出身地は山口県だが、ここは本書が刊行された時点（2023年6月時点）では、県内選出の国会議員と首長（知事・市町長）の大半が自民党籍を持つ地である。国会議員で最後に非自民勢力から当選したのは、２００９年の平岡秀夫氏（山口２区・元法務大臣）が最後である。その平岡氏の秘書だった人物も県内で首長を務めているが、当選後程なくして自民党入りした。今の立憲民主党などの野党勢力では、どんなに優秀な候補者が立ってもおよそ当選は不可能であろうと思えるほど、ガチガチの自民党地盤になっている。

ところが、その自民党ではこうした選挙区で当選を重ねた議員が「選挙に強い議員」として評価されやすい組織構造があるようだ。自民党では、暗黙的に当選回数に応じて大臣や党の役職のポストが割り振られているが、当選回数を重ねる議員にはやはりそもそも自民党の支持地盤の強い選挙区の議員が多い。そして、そんな議員にはやはり親子二代、ないし三代と当地で政治家を続けてきた世襲の議員が多い。

鶏と卵のような話ではあるが、世襲政治家という存在は、「地盤」の良さによって、その地位を継承しやすくなっていることで生まれている側面がある。数世代にわたってその地域に根付いている以上、地域での知名度の高さは折り紙付きであり、選挙の実働部隊としての後援会組織や支持団体・企業の活動ぶりも慣れたものである。

もちろん、議員の「選挙の強さ」と、議員本人の能力や努力の関連性も大きいが、それだけを過大評価すると、**地盤が良いために当選回数を重ねる議員が、東名阪などの大都市のぐらつく地盤で燃費の悪い努力を強いられる議員よりも評価されやすく、党内での発言力を高めて、結果、見渡す限り地方選出の二世・三世議員ばかりが権力を得る永田町になりはしないだろうか。**現状、既にそうなっている側面も否めない。

昨今、ジェンダーギャップの解消や多様性の尊重という社会的要請に従って、永田町でも女性や若手の登用を訴える議論がよく聞かれるようになった。だが、その永田町で多数を占める自民党の中で、**当選回数本位制のような「人事評価」システムが変わらない限り、女性や若手が諸外国並みに登用される環境を獲得するのは難しいだろう。**

ゲームのルールを適切に見極めることが肝要

少々脱線してしまったが、定量調査においては、何が「ゲームのルール」なのかを適切に見極めたうえで、市場やその中で獲得したい成果に結びつく指標を探し、仮説を立てて、調査で実証していくということで「票読み」もとい「売れ筋の発見」や「シェアの予測」が可能になる。そのトレーニングをするのに、選挙の情勢報道は格好の教材であるということを知ってほしい。

第6章

世論調査は信用できるのか?
アンケートに潜む「罠」

マスコミの世論調査や情勢調査を信用しない人たち

ここまで、選挙の情勢調査とその報道を題材に、定量調査の読み解き方について記してきたが、**そもそもマスコミの世論調査や情勢調査は信用できるのか、と思っている向きもあるだろう。**SNSやニュースサイトのコメント欄を覗くと、世論調査や情勢報道の記事には決まって、このようなことが書かれている。

「平日の昼間に固定電話に出るような人が回答する調査が世論を正確に示しているはずがない」

「Twitterで○○氏がとったアンケートでは3万人が回答したが、1000人しか回答していないこの調査と結果が全く違う。サンプル数が少なすぎて信用できない」

「○○党の支持率が上がっているなんて嘘。結果を改竄《かいざん》して世論を誘導しようとしている」

この手の反応は、別の章でも記したメディア環境の根本的な変化に起因して起きる「マスコミ不信」に煽られているところもあるだろう。ここでは、マスコミのあり方が良いか悪いかといった諸氏の「意見」は横に置いて、**「事実」だけを確認すると、これらの意見には多くの誤解が含まれている。**

電話による世論調査の実態

まず第一に、報道各社の世論調査が「平日昼間に固定電話に」対して行われているという事実はない。

日本で毎月定例の世論調査を行っている社は10社ほどある。NHK、朝日新聞、読売新聞(NNN=日本テレビ系列と合同)、日本経済新聞(テレビ東京と合同)、共同通信、時事通信、ANN(テレビ朝日系列)、JNN(TBS系列)、毎日新聞、産経新聞(FNN=フジテレビ系列と合同)などだ。この他、JX通信社でも、選挙ドットコムと合同で定例調査を実施している。

これらのうち多くの社で採用されているのは、RDD(ランダム・デジット・ダイヤリング=電話番号をランダムに発生させて架電=電話をかける)方式の電話調査である。例外は、調査員が対象者と直接面接する方式を採用する時事通信の調査、携帯電話のショートメッセージも活用する毎日新聞の調査、そしてネット調査も活用する我々JX通信社の調査の3社であり、他は全て電話で調査を行っている。

ただし、架電する対象には「携帯電話」が含まれている。2016年以降、各社が相次いで携帯電話を架電対象に追加したためだ。以前は固定電話と携帯電話に半々(5:5)

で架電するのが標準的だったが、ＮＨＫは２０２２年７月調査から固定・携帯比率を４：６に変更するなど、徐々に携帯電話に比重を置いた調査に変わってきている。そして、**架電する日時も平日ではなく、休日である土曜日・日曜日に設定されている。**

細かな調査のオペレーションは会社によって微妙に異なるが、例えば朝日新聞の世論調査では、固定電話に架電する場合、電話に出たその人ではなく、世帯内の有権者の人数を聞いてサイコロを振るように「年齢が上から３番目の方にお伺いしたい」などと回答者を無作為に選んでいるという。選ばれた人が不在でも、再度時間をおいて架電し、調査に協力してもらう。これにより、「幅広い生活スタイルの人に調査できるよう、仕事などで帰りが遅い人にもなるべく答えてもらえるようお願いしています」と同社は説明している（朝日新聞ＤＩＧＩＴＡＬ「Ｑ＆Ａ　いちからわかる朝日新聞の世論調査」より）。

このように、世論調査はなるべく**「世論」を代表する調査結果が得られるよう、慎重に設計・実施されている**ことが分かる。そのことは、１０００件から２０００件程度という回答数についても同様に言える。

SNS、特にTwitterでは「世論調査」と称したアンケート調査がよく見かけられる。こと政治、選挙をテーマにしたものだと、数千人、数万人と大量の回答者を集めていることも少なくない。だが、これらは実際の世論調査と精度で比較できるような代物ではない。統計学的な解説は、専門書から分かりやすい解説を行う入門的な書籍まで山ほど行われているためここでは割愛するが、有名なたとえ話をひとつ紹介したい。

あなたがもし味噌汁の味見をする時、どうするだろうか？　恐らく、さじで1杯だけ掬って味見をするだろう。まさか、寸胴1杯丸ごと飲み干すような人はいないはずだ。よくかき混ぜて、上澄みだけ掬うことがないよう注意して、さじで1杯だけ掬う。**1億人の世論を知るために、1000人や2000人を適切に無作為に抽出するので十分であることを説明するのに、優れたたとえである。**

なぜ20時に当確が打てるのか

世論調査に向けられるのと似た批判は、報道各社が国政選挙に合わせて行う**選挙特番での議席予測や「当選確実」の報道にも向けられがちだ。**衆議院選挙や参議院選挙の投票が20時で終了し、テレビをつけたその瞬間に「○○氏が当選確実」とか「○○党が××議席獲得の見通し」などと出るのはおかしいのではないか、まだ1票も開票していないではないか、という批判である。

こうした選挙での議席予測や、候補者ごとの「当選確実」の判断は、「出口調査」という世論調査とは別の調査を使って行われている。

出口調査は、その名の通り、選挙の際に投票所の出口から出てきた有権者に対して、調査員がアンケートを行うものだ。出口調査では、主に回答者の年齢や性別などの他、投票した候補者や政党名、その理由などを質問する。世論調査などと異なり、実際に選挙の投票に行った有権者を対象に行われているため、投票行動やその背景を緻密に分析するための重要なデータが得られる。

報道機関は、この出口調査をもとに、候補者ごとに「当選確実」の判断を下していく。投開票日当日の20時に、**いきなり当選確実が出せる候補は、出口調査で次点に大差をつけているとか、当選ラインを大きく上回る票が得られることが確実だとデータで判断できる候補である。**

20時過ぎには当選確実が打てなくとも、開票が進むにつれて、開票終了を待たずに当選確実を判断できる候補者も出てくる。開票作業で積まれる票の束の厚さを見たり、選挙管理委員会による途中集計を確認したりすることで、開票率が30%や50%と途中の段階でも事前の出口調査の結果も踏まえて「当選確実」を判断できる場合があるのだ。

こうしたからくりがあるために、時には開票の途中経過と当選確実の判断が食い違って見えることもある。アメリカでも、大統領選挙や中間選挙で、開票率90％以上の時点で共和党候補が民主党候補を上回っていたにもかかわらず、報道各社が相次いで民主党候補に当選確実を打ったことが「不正選挙だ」と陰謀論のように騒がれる出来事があった。

こうした現象は日本の選挙でも頻繁に起きるが、その背景には、同じ選挙でも地域ごとに投票傾向が全く違うということがある。アメリカの大統領選挙や中間選挙の場合には、選挙の度に民主党と共和党の間を行ったり来たりするような激戦州が存在する。こうした州では、一般的に、人口の少ない郡部で共和党の支持層が厚い一方、人口の多い都市部では民主党の支持が上回る地域が多い。そして、**選挙の開票作業は概ね人口の少ない地域から先に進み、人口の多い地域は時間がかかるケースが多い。**これは日本でも同様だ。その結果、開票の途中経過でずっと共和党候補がリードしていても、開票終盤で民主党候補が突然逆転するという現象が起きる。この現象は、アメリカでは共和党のイメージカラーである赤色に因《ちな》んで「レッド・ミラージュ」（赤い蜃気楼）と呼ばれている。

このように、世論調査や出口調査など、報道機関が行う調査の正確性には十分な担保があることは、実際の選挙結果を見れば明らかである。

注意すべきは設計の罠や回答のバイアスの存在

それよりも、私たちがこうした定量調査を「読む側」として真に注意すべきは、**世論調査を含むアンケート調査全般に潜んでいる、設計の罠や回答のバイアスの存在だ。**

例えば、世論調査における内閣支持率や政党支持率は、調査する報道機関によって全く異なることをご存じだろうか。図表20は、２０２３年3月に行われた報道各社の世論調査で示されている、岸田内閣の支持率・不支持率をまとめたものである。

図表20　2023年３月の内閣支持率　報道各社の世論調査

３月の内閣支持率　報道各社の世論調査			
	実施期間	支持する	支持しない
NHK	10～12日	41（＋5）	40（－1）
共同	11～13日	38.1（＋4.5）	43.5（－4.2）
読売	17～19日	42（＋1）	43（－4）
朝日	18～19日	40（＋5）	50（－3）
日経	24～26日	48（＋5）	44（－5）

（注）カッコ内は前回調査との差

全て同じ3月に行われた調査であるにもかかわらず、共同通信の調査では内閣支持率が38・1%となっているのに対して、日本経済新聞の調査では48%となっている。実に10ポイントもの差だ。日本経済新聞の調査を、1週間ほどの時間差しかない朝日新聞の調査と比べても、なお8ポイントもの差がある。同じ岸田内閣の支持率を聞いているのに、どうしてこれほどまでに差が出るのだろうか？

実は、その背景に、アンケート調査の結果はその設計によっていくらでも変わり得るという「罠」の存在を見ることができる。

種明かしをすると、日本経済新聞と朝日新聞では、同じ内閣の支持・不支持についての質問をするにも「聞き方」

が異なるのだ。具体的には、日本経済新聞の調査の場合、内閣を支持するか否かを問う際、どちらとも言えない、分からないといった不明確な回答をした人に対して「お気持ちに近いのはどちらですか」といった質問を重ねて聞く、**いわゆる「重ね聞き」をしているというわけだ。**重ね聞きをすると、中間的で不明確な回答が減るため、支持率が高く出やすくなる。聞き方ひとつで「内閣を支持するか否か」のような単純な質問でも、その答えが大きく変わってしまうことが分かる。

質問だけでなく、調査の手法自体によって答えが大きく変わるケースもある。例えば、前述の日本経済新聞の世論調査は電話で行われているが、面接方式で行われている時事通信の世論調査とは各政党の支持率が全く異なる。

見比べてみると、自民党をはじめとした各党の支持率は概ね日本経済新聞の調査のほうが高い値を示している一方、支持政党がないと答えた無党派層では、時事通信の調査で61%もあるのに対して、日本経済新聞の調査では24%に留まっている。

図表21　2023年３月調査　支持政党調査の結果

23年３月調査	支持政党なし	自民	立憲	維新	公明	共産	国民	れいわ	参政
日本経済新聞	24%	43%	8%	8%	4%	3%	2%	3%	1%
時事通信	61.0%	23.3%	3.5%	2.9%	3.4%	1.3%	0.7%	0.9%	1.2%

この差は、前述した電話による調査と、面接による調査という2つの方式の違いによって生まれている。電話の場合、相手の顔が見えない分、支持政党などの政治的な考え方を伝えやすい半面、面接調査で係員に面と向かって支持政党を告げるのには抵抗がある。そんな考えの人が「支持政党なし」と名乗りやすい傾向があるのだ。したがって、時事通信のような面接方式の調査では立憲や維新の支持率がわずか2、3％前後しかないという値が出ていても、選挙をやってみれば両党ともにその値を数倍上回る得票率を確保する、ということが起きる。

これは、どちらの調査方式が正しいか、ということではなく、**同じような質問でも調査方式によって数値が大きく動くことを念頭に、その数値の「調べ方」まで注意して調査を見るべし、という教訓である。**

回答者は、面接か電話かといった調べ方で回答を変えるだけではない。その質問の内容によっても、回答を変えてくる。

選挙の情勢調査では「あなたは○○選挙に行きますか?」という質問をすることが多い。この質問の意図は、選挙への関心度を測り、投票率を推定するための参考にしたい、あるいは選挙に特に関心の高い層がどのような投票行動をとるかを分析したいといった点にある。選択肢として「必ず行く」「多分行く」「多分行かない」「絶対に行かない」といった項目を提示し、回答者にいずれかを選んでもらうのだ。**この時にありがちなのが「必ず行く」「多分行く」の合計が実際の選挙の投票率よりもはるかに高くなるという現象である。**

同様の現象は「あなたは○○選挙に関心がありますか?」といった質問でも生じる。回答の選択肢は「大いに関心がある」「多少は関心がある」「あまり関心がない」「全く関心がない」といった具合になるのだが、時によっては「大いに関心がある」「多少は関心がある」の合計で回答の8割など大半を占めてしまうこともままある。

いずれにせよ、実際にそこまで関心度や投票参加意向の割合が高ければ、投票率はもっと高くあって然るべきだ。が、日本の選挙の投票率は下がり続けている。

こうした現象の背景にあると考えられるのが、人間の欲求だ。人間には、他人から好ましく見られたいという欲求から、社会的に望ましくなるように考えを歪めて伝えてしまうという特性がある。**その特性を「社会的望ましさバイアス」と呼ぶが、投票意向や選挙への関心についての問いへの答えにも、このバイアスが生じている可能性がある**というわけだ。

もっとも、選挙の情勢調査はあくまで選挙に行くであろう有権者を対象に、選挙結果を予測するために行う調査であり、選挙に行かない人も含めた「民意」の可視化を試みる世論調査とはやや位置づけが異なる。手法はかなり共通しているが、情勢調査のほうが政治意識や選挙への関心が高い人の回答を集めている側面はある。その点では、**調査における**

図表 22　衆議院選挙の投票率の推移

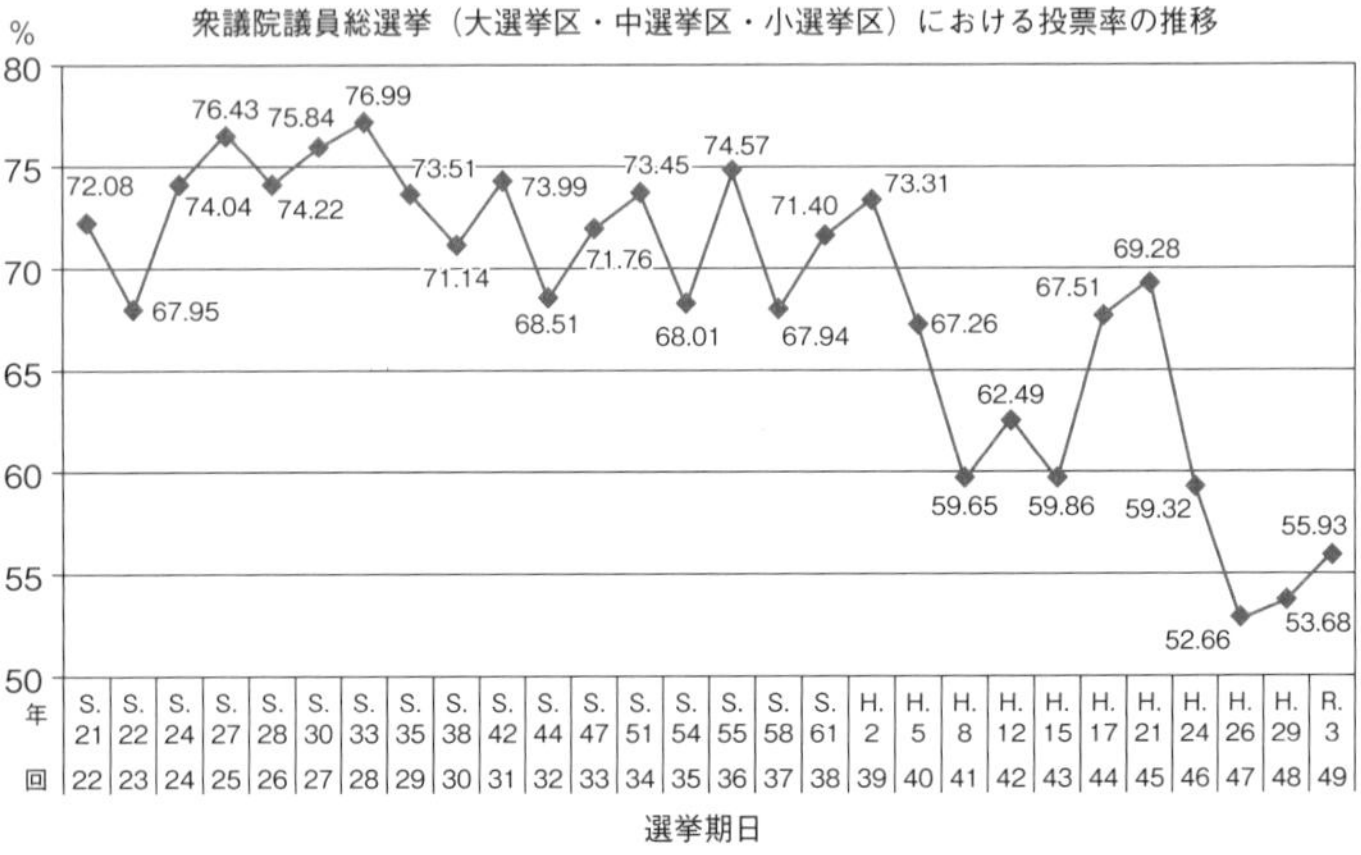

※総務省より

図表 23　参議院選挙の投票率の推移

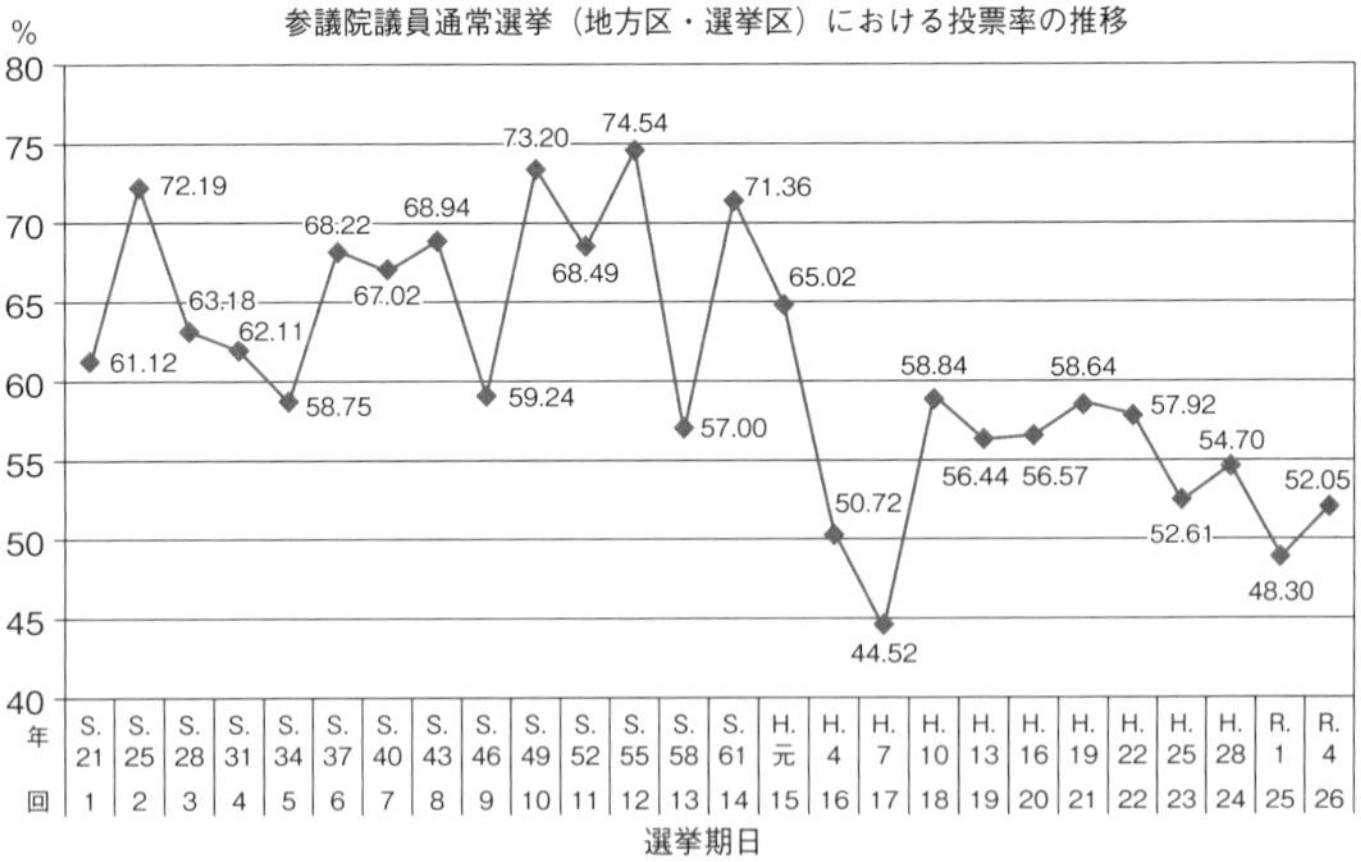

※総務省より

投票意向の高さと実際の投票率の低さのギャップの原因が、社会的望ましさバイアスだけとは限らないが、手法を問わず同様の傾向が出やすいのは事実だ。

ここまで述べてきたように、世論調査をはじめとしたアンケートは、その手法や設計によって同じ質問でも回答傾向がかなり異なることがある。また、調査に応じる人間の特性からか、回答にも歪みが生じる可能性がある。こうしたアンケートに潜む「罠」を知り、実際の選挙結果との答え合わせをしながら定量調査を読み解くトレーニングをするうえで、選挙の情勢報道や政治の世論調査は大いに役に立つ。

第7章

身近な「デマ」「陰謀論」のリスクから
どう自己防衛するか

「デマ」や「フェイクニュース」の拡散、流通

冒頭でも述べたように、**現代は「マスコミが発信する時代」から「消費者が発信する時代」へと、その情報流通が大きく変化している。**消費者が発信するということは、言い換えれば誰もがメディアになれる時代になったということだ。それには良い点と悪い点、つまり「光と影」があることは先に述べた通りである。

その「影」の部分として「デマ」や「フェイクニュース」の拡散、流通に注目したい。事実に基づかない虚偽の情報、不確かな情報が大量に流通することで、時に私たち一人ひとりの健康や生命、財産にまでリスクがもたらされ、あるいは社会に重大な分断がもたらされることで回り回って社会全体にまで負の影響をもたらし得る。

あなた自身が、あるいはあなたの家族や友人がそうした類の情報に惑わされ、騙されな

いようにするためにはどのようにすべきだろうか。ここでは、**数あるデマのジャンルの中でも最近特に流通が目立つ「陰謀論」を題材に考えてみたい。**

「陰謀論」にはまったある政治家

まず、我々にとって「反面教師」となり得る興味深いケースを紹介したい。

ある著名な国会議員は、ここ数年、Ｔｗｉｔｔｅｒで日々熱心に「陰謀論」を発信し続けている。

この議員はかつて大臣として入閣した経験もあり、政治の世界にあってメディアやそれを取り巻く情報環境には比較的詳しい人物と見なされていた。だが、数年前から様子が変わってくる。Ｔｗｉｔｔｅｒで、新型コロナウイルスに関する未承認の薬を挙げて不確かな治療法を紹介してみたり、「ディープステート」など陰謀論者の間で頻出するキーワードを含む意見を投稿したりするようになったのだ。

ちなみに、ディープステート（闇の政府）とは、政府やメディア、金融機関や軍需企業、秘密結社などが合同して隠れた政府を作り、選挙で選ばれた政府以上に大きな権力を行使している、という陰謀論である。ディープステートの力によって、選挙が不正に歪められたり、司法が不当に特定の勢力を弾圧していたりするといった主張にもつながっている。

当然ながら、このディープステートの存在は何ら証明されていない。また、陰謀論を唱える人がディープステートの仕業だと主張する出来事も、科学的に別の因果関係で説明できたり、荒唐無稽で事実無根なものであったりすることが多い。だが、それでもディープステートを信じる人々は、「政府やメディアが表向きには隠蔽している『真実』を知っている」と主張し、その陰謀が解明されることを望んでいる。仮にも、大臣経験者ともあろう有力国会議員が信じてよい類の話ではない。

この議員の主張がより極端になったのは、２０２２年にロシアのウクライナ侵攻が始まった頃である。それ以降、ロシア国内のメディアがウクライナに関連して発信した、検証済みの虚偽の情報をそのまま拡散したり、ロシアの主張を根拠なく支持したりするような投稿を行うようになった。

また、２０２３年に入ってからは、ウクライナ侵攻の数年も前に国際会議でロシアに集まった各国代表団とウラジーミル・プーチン大統領の写真を、あたかも侵攻中に行われた会議での模様として紹介したり（ロシアは国際的に孤立していないという主張を裏付けるような文脈でその写真を紹介した）、岸田文雄首相は国際的な陰謀の結果ウクライナに緊急に「派遣」されたといった怪情報を拡散するなど、陰謀論やデマのループに入って抜け出せない様を露呈するようになった。

この様子を見た筆者は、ある時思い立って、議員が投稿する情報一つひとつについて、その情報源を調べてみた。その結果、この議員は自らが所属する政党とは異なる、ある宗教系の政治団体の関係者が投稿するＹｏｕＴｕｂｅ動画の主張を繰り返し引用していた他、ある「５ちゃんねる」のまとめブログや、ロシア国営メディアの記事などかなり多様な情報源に触れていたことが分かった。**これらはいずれも、多くの人が一般的な社会生活の中でそうそう触れないような情報源であり、恐らく議員自身が好んで見に行っている可能性が高い。**

そのような状態を見かねて、その議員の所属政党の支持者も多数、Ｔｗｉｔｔｅｒ上で本人に直接苦言を呈している。だが、この議員はそうした苦言や批判に対してむしろ積極的に反論を行うなど、聞く耳を持つ様子が見られない。一部の投稿からは、自らが「陰謀論者」だと呼ばれていることを十分自覚していることも分かるが、そのうえで、自分の認知が「陰謀論」や「デマ」で侵されているとはどうやら微塵も疑っておらず、批判者の考えのほうがおかしいというスタンスをとっている。

ここで例示したケースは、決して極端なものではない。

誰しも、このように**陰謀論のドツボにはまってしまう現実は他人事ではないのだ。**SNSには、親や兄弟、友人など親しい人物が陰謀論にはまり込んでしまい、周囲との人間関係がギクシャクしていることに悩む人の声が多く投稿されている。筆者の周囲にも、直接の知人に陰謀論的な言動をする人が複数いる。前述の議員も、経歴的には「ピカピカ」であり、本来は荒唐無稽な情報を退けるだけの十分な判断力や知性を持っているはずだが、それでもこの状態に陥っているのだ。

「陰謀論」にはまる3つの動機

こうしたケースから推測できるのは、**陰謀論にはまってしまった人は、自分の意思で望んで、自分の意見をより強化してしまう**ということだ。ある陰謀論に興味を惹かれた人は、そこに潜む「真実」を解き明かすため、更に情報を集めようとする。**陰謀論を発信する情報源を自分で好んで選んでいるのだ。**そして、それをたしなめる人の意見は、「騙されている」か「無知で残念な人」の苦言であり、自分こそが他の人が知らない「真実」を知っている、という確信をより深める。

これを裏付ける学説もある。陰謀論を研究している、イギリスのケント大学のカレン・ダグラス教授によれば、人が陰謀論にはまってしまうのは、以下の3つの心理的動機が満たされていない時だという。

1つ目は、政治的・社会的な出来事の意味を理解するうえで、**情報に不完全さや曖昧さを感じた時の知識的な欲求による動機**である。例えばアメリカのドナルド・トランプ前大統領の選挙での敗北、あるいは新型コロナウイルスをめぐる話題や、ロシアのウクライナ侵攻のような出来事について、その背景や関連情報に疑問を持ち、もっと知りたいと思う。そこで陰謀論に出合ってしまう。

２つ目に、**自らの存在を脅かされるような不安や不確実性を排除したいという動機**である。あらゆる種類のワクチンに忌避感、不信感を持ってきた人が、新型コロナウイルスのワクチンに対しても同様に忌避感を持つだけでなく、ワクチン接種後に死亡した人の個別のケースを取り上げて「国民へのワクチン接種は人口削減計画に基づいて行われている」など、荒唐無稽な陰謀論に飛びついてしまう。そして、一人納得してしまい、ワクチンを打たないという決意に至る。そんな例も、この２つ目の動機にリンクしていそうだ。

３つ目に、**他人が知らないことを知っているといった自尊心につながる、社会的欲求による動機**である。メディアで報じられない「真実」を知っている、という思い込みが、自らの自尊心につながり、より思い込みを強化してしまうのだろう。

こうした条件を満たすことで陰謀論にはまるリスクが高まるためか、ある陰謀論にはまっている人は他の陰謀論にも関心を持ちやすいようだ。東京大学の鳥海不二夫教授の分析によれば、Ｔｗｉｔｔｅｒ上で「ウクライナ政府はネオナチ」であるという陰謀論を主張しているアカウントは、アメリカの陰謀論集団「Ｑアノン」に関連する投稿や、反ワクチン関連の投稿を多く拡散していたという。

新型コロナウイルスや戦争といったキーワードが飛び交う、**先行き不透明感の強い時代には、多くの人々が不安や不確実性へのストレスを感じる。陰謀論は、その「意外性」と「単純さ」という特徴を持って、その不安や不確実性に「答え」を出してしまう。**マスコミや一般的な報道機関では報じられていないことをさも「真実」のように語り、そのうえで、その背景を極めて単純に説明する。例えば「闇の権力者が世界の全てを差配している」とか「ワクチンを接種し始めてから超過死亡が発生しているのは、ワクチンに多くの人を死に至らしめるものが入っているからだ」といった具合である。

こうした陰謀論の流布が社会にいかに悪影響をもたらすかは、その血塗られた歴史が証明している。

ユダヤ人に対する陰謀論は何世紀も前から存在しているが、特に19世紀後半から20世紀初頭にかけて欧州で急速に広がりを見せた。この陰謀論は「ユダヤ人が世界を支配しようとしている」という根拠のない主張であり、政治や経済、文化のあらゆる分野においてユダヤ人が結託して悪意を持って暗躍しているとされていた。その陰謀論を象徴する文書が19世紀末、ロシア帝国で生まれた偽書「シオン賢者の議定書」だとされる。

この文書はユダヤ人に対する陰謀論において、最も有名で影響力のあるものだったという。当時のメディアによって、捏造された偽書であることが検証されていたにもかかわらず、その後に生まれたナチス・ドイツでは、この議定書が政治的プロパガンダに利用され、アドルフ・ヒトラーの独裁政権下でユダヤ人への迫害を加速させる道具になってしまった。

粗雑な偽書がユダヤ人陰謀論を社会に拡散させてしまった背景には、当時の経済の混乱や社会不安があったようだ。ドイツは第１次世界大戦における敗戦後、ヴェルサイユ条約によって国家全体に厳しい賠償金が課せられたこともあり、ハイパーインフレーションに見舞われるなど経済がひどく混乱した。**そんな中で生まれたナチスが、陰謀論をもとにユダヤ人を国家の敵として標的にしたのだ。**

先に紹介した、ケント大学のカレン・ダグラス教授は、論文で陰謀論が社会に与えるリスクについて「陰謀論は野放しにされると、自己実現的な予言となる恐れがある」と指摘している。「信頼や博愛が不足し、証拠が信用できず、社会集団が共通の利益を殆ど持たず、権力が少数の手に集中するような世界を、自らのイメージ通りに作るかもしれない」という。

誰しもが心に抱える不安や欲求が、陰謀論に親しんでしまうきっかけになってしまう。そのリスクと、陰謀論が社会に与える悪影響を明確に認識したうえで、情報にどのように触れるべきかを一人ひとりが考えていく必要があるだろう。

第8章

役に立たなくなった「情報収集のハウツー」

私たちは「情報爆発」の時代を生きる

このように、私たちはデマや陰謀論が極めて身近な脅威になっている現実、あるいはデマとまではいかずとも、**不確かな情報や価値を生まない無用な情報が膨大に溢れかえっている現実に直面している。**

こうした状況が、**発信者の増加と、その発信手段の多様化の掛け算による「情報爆発」**によってもたらされていることはこれまでに述べた通りだ。まさに「玉石混交」であり、言い換えれば消費者が発信する時代の「光と影」がそれぞれより色濃くなっている。

この現実を生き抜くうえでは、やはり「光」つまり、有用で価値ある情報を多くの発信者からよりタイムリーに入手できるメリットを享受しながら、「影」つまり無用な情報のノイズに溺れたり、不確かな情報に惑わされたりするデメリットを排除するのが理想である。しかし、それは至難の業だ。こうした新しい現実の前では、**従来、長年にわたって語られてきたあるべき情報収集の方法論が全く通用しなくなっている。**

かつては「効率的な情報収集の方法」と言えば、新聞や書籍の多読・速読の類や、そこから得た知的な成果をどう情報として整理するかといった、ツールやハウツーにつながる話が多かった。要は「信頼できる情報源」としての新聞などのメディアから、多量の情報を自分自身にとりあえず流し込み、重要なものだけを上手くストックして活かしていくという考え方だ。こうした考え方を説く指南書は最近でも世に溢れているし、今でも、新聞を多数購読して毎日読み比べていることを売りにする文化人や、書籍の多読を売りにする言論人はいるにはいる。

しかし、これほどまでに情報の発信者が多様化し、時代の動きが速くなっている今、新聞というメディアを読み比べて多読することにどれほど意味があるのだろう？　こんな問いにどうしても直面してしまう。

かく言う筆者も、幼い頃から「新聞の多読」が最大の趣味のようなところがあり、物心ついた頃から登校前には朝刊、帰宅後には夕刊を隅から隅まで読むような生活をしていた。夕方、帰宅後に家で新聞を読んでいたら、母から「遊んでいないで勉強しろ」と言われていたくらいだ。そんな新聞多読経験から得られたこともちろん沢山ある。だが、**刻々と変わる時代の変化を読み解き、ビジネスなど様々な場面で成果につなげていくという観点では、こうした情報収集の手法だけでやっていくのは難しい。**

ChatGPTへの反応が鈍かった新聞

例えば、今後我々の生活や仕事に大きな影響を与え得る最近のＡＩの進化について、新聞はどう報じただろうか。

２０２２年は生成系ＡＩ（ジェネレーティブＡＩ）が急速に進化し、画像や動画、テキストなど様々な領域でコンテンツを創り出すタイプのＡＩが加速度的に普及し始めた年だった。特に、11月末に米ＯｐｅｎＡＩからリリースされた「ＣｈａｔＧＰＴ」が、ＢｔｏＣのサービスとして史上最速の２カ月で月間アクティブユーザー（ＭＡＵ）１億人の大台に達したことは象徴的な出来事だった。「ＭＡＵ１億人」は、ＴｉｋＴｏｋが13カ月、Ｉｎｓｔａｇｒａｍが26カ月、Ｆａｃｅｂｏｏｋが42カ月要してたどり着いた水準である。ＣｈａｔＧＰＴがそこに２カ月で達したのは、多くの人が自分の生活や仕事に直結する変化を予想するほどの出来だったからだ。日本でもリリース直後からＳＮＳではＣｈａｔＧＰＴの話題がかなり盛り上がっていた。

だが、これほどの出来事に対して、残念ながら新聞の反応は極めて鈍かった。新聞記事データベースで確認する限り、２０２２年内は日本経済新聞が電子版でフィナンシャル・タイムズの記事を引用したりニュースとして伝えたりしていた他は、12月中旬に朝日新聞のコラム、下旬に山陰中央新報のコラムでそれぞれＣｈａｔＧＰＴへの言及がある程度である。筆者も、共同通信加盟新聞社の電子版の有料記事の連載を持っており、12月中旬にこのＣｈａｔＧＰＴについて記したが、その時には過去にＣｈａｔＧＰＴに言及した記事がなかったため、「チャットＧＰＴ」と書くか「ＣｈａｔＧＰＴ」と書くか等、表記の方法をめぐって調整が生じたのを記憶している。その後年が明けて２０２３年に入ってもなおＣｈａｔＧＰＴに言及する記事はなかなか増えず、1月末にマイクロソフトがＯｐｅｎＡＩに1兆円規模の投資を行うというニュースが伝わってようやく言及が増えたという具合だった。

その間、ＴｗｉｔｔｅｒをはじめとしたＳＮＳやＷｅｂ上では、ＡＩの研究者や市井のエンジニア、テックに敏《さと》いビジネスパーソンが様々な角度でＣｈａｔＧＰＴの技術的背景やしくみ、活用方法を編み出し、解説していた。今後の社会への影響、人間の働き方の変化について、多くの人が想像を膨らませて議論していた。**少なくともこの話題に関しては、SNS上の市井の人の発信をつまんでいたほうが、圧倒的に良い情報収集をできたことに**

なる。新聞を何紙読み比べたところで、足元で起きている重大な社会の変化をタイムリーに摑めないケースが多々起き得るのが現実なのだ。

これは、新聞記者個人のアンテナが低いという話ではなく、**そもそものメディアとしての構造に起因する現象である。**

「知の王者」のような情報収集は不可能

新聞社をはじめとする報道機関は、基本的に「人海戦術」で情報を集めて伝えている。例えば朝日新聞社なら、全国にいる約２０００人の記者が森羅万象をカバーすることになる。**ここで問題になるのは、まず新聞社の定義する森羅万象の範囲の狭さだ。**新聞紙面は、長らく総合、政治、社会、経済、国際、地域、スポーツなどの「面」すなわちニュースのカテゴリが決まっている。こうした紙面構成は、例えばジェネレーティブＡＩのような新しいテクノロジーが社会生活を根底から変えていくような事態を想定していない。無理にでもＣｈａｔＧＰＴを取り上げようと思えば、社会、経済など様々な紙面で取り上げることはできただろうが、社会面なら重大な殺人事件や事故のほうが報道価値は高いし、経済面なら金融政策の方向性や銀行の破綻といった話題のほうが重要と見なされるだろう。そして、**人海戦術ゆえに、取り扱えるネタの数には限りがある。**新聞社の紙面構成と、人海戦術による資源の制約の掛け算により、ＳＮＳでは大騒ぎになるようなネタでも報道価値を認められにくいケースがあるのだ。

　時代が高速で変化し、発信者が多様化し、情報も激増している。その「新しい現実」においてあるべき情報収集は、新聞や何か特定のメディア、ツールに頼るのではなく、様々な発信者からバランスよく情報を収集していくことでしかない。**発信者が多様化すると同時に、情報の受け手である私たちの志向や関心もまた多様化している。**何でも知っている「知の王者」かのような情報収集を実現するのは不可能である。

だから、情報収集のためにこの媒体を読むべしとか、これを使うべしといったツールやハウツー以上に、**どんな情報源に当たったとしても、そこから「確かな事実」や自分にとって「価値あるヒント」を取り出すことができるスキル、マインドこそが重要な武器となる。それこそが、ビジネス上の成果にもつながってくるのではないか。**

次の章では、その武器としてのスキル、マインドについて説明したい。

第9章

「他人に脳を支配させない」情報収集のための武器

従来の量的なアプローチとは発想の転換を

本書を手にとったあなたが、**情報収集に期待することは「制脳権」ではないだろうか。**つまり、なるべく他人のバイアスや作為、嘘や陰謀論の類に導かれず、自分自身の専門知の蓄積の結果、自信を持ってスタンスをとれること、言い換えると**「他人に『脳』を支配させない」情報収集を行うこと**が希望ではないだろうか。

そのためには、**自分の目指す成果につながる「価値のある」「確かな情報」をいかに効率的に集められるかが重要となる。**そして、ポイントとなるのは、その価値判断も、確からしさの判断も、あなた自身が行わなければならないのが今の情報空間のあり方であるということだ。

情報それ自体を単純に多く集めることには意味がない。情報はアートや趣味のコレクションとは異なる。探せば出てくる以上、その知識としての記憶はある程度外部化できるのだ。そのうえ、テクノロジーがいかに進歩しても、あるいは情報の流通量がいかに増加しても、人間の情報処理能力はさほど変わらない。折角多くの情報を得たとて、片っ端から忘れていくのも人間の性である。

だからこそ、情報収集には従来の量的なアプローチとは発想の転換が必要となる。事実の裏付け、すなわち確からしさの保証が比較的高いレベルで伴っている新聞が情報流通の中心であった時代ならば「新聞の多読」という量的なアプローチで効果的な情報収集が達成できた。しかし、今はそういう時代ではない。多様な発信者からの情報を、自らの血肉にする前にその「確からしさ」の検証や「価値判断」を迫られる点が根本的に異なるのだ。

積極的に情報収集する対象のジャンルを絞り込む

だとすると、制脳権を喪わない情報収集をするには、その目的に沿ってある程度「深く」情報を集める必要がある。あらゆるジャンル、テーマの情報を何でも渉猟するのは難しい。多くの人にはそんな暇も、価値判断をするだけの専門性もないからだ。加えて言えば、時代もどんどん変わり、得た知識がすぐに古くなる以上、**博覧強記で何でも知っている「歩く百科事典」のような人を目指す必要はない。**

情報収集するテーマ、領域を絞り込み、それを日常的にこなせるほど習慣化すれば、**その領域においては「確かな情報」を常に見分けて、それについての自分自身のスタンスをとれるだけの専門知を常にアップデートし続けられる。**そんな情報収集が可能になる。

筆者自身も、報道ベンチャーであるＪＸ通信社の経営者という立場だからこそ、メディアの動向や報道産業の動向、そして選挙情勢や世論の動向などは常に人よりも情報が充足している状態を目指している。だが、**逆にそれ以外の分野は「捨てて」おり、積極的に情報収集する対象のジャンルは絞り込んでいる。**

多様な発信者から入手できる情報は、とにかく玉石混交だ。それも、玉に石が混ざっているというよりは、石の山の中に稀に玉が混ざっている程度かもしれない。となると「玉」を効率的に見つける情報収集が必要だ。**つまり「確からしさ」の検証や「価値判断」のフィルターをどう効率的に機能させるかが重要となる。**

自分の情報収集を手伝ってくれる「エージェント」

この点において、筆者が考えるコツは、**自分の情報収集を手伝ってくれる「エージェント」を見つけること**である。ここで言うエージェントとは、情報収集したい領域で、あなたにとっての水先案内人になってくれるような発信者である。ＳＮＳ上にいるその道の専門家やインフルエンサーでも良いし、専門媒体でも良い。**ある程度「確からしい」情報を、自分に近い「価値判断」で届けてくれるエージェントを見つけておきたい。**そのうえで、エージェントの人や媒体の発信を習慣的にチェックすることが第一歩だ。エージェントが個人であればその人のＴｗｉｔｔｅｒアカウントをフォローする、あるいは媒体であれば１日１回見に行くなり更新情報を受け取れるようにしておく、という具合だ。

筆者は「ＡＩ」「スタートアップ」「選挙」「報道業界」「国際政治」などの分野で特に重点的に情報収集することにしており、それぞれの領域で自分なりにエージェントを決めている。特定の媒体というよりは、主に専門家や研究者、エンジニアなど個人の発信を追っている。この種の情報はこの人のＳＮＳ投稿をきっかけに確認しよう、といった具合に、勝手にエージェントあるいはジャンル特化型のアナリストに見立てるのである。そして、良いエージェントがいれば、随時、定期的に確認するリストに追加していくのだ。

今は企業も、その関係者や界隈の専門家個人も、皆自分で発信する時代だ。だからこそ、**良いエージェントを発見できれば、情報収集の速度も、「確からしさ」の検証や「価値判断」も段違いに向上する。**一方で、間違ったエージェントを選んでしまうと、不確かな情報や作為的な発信に「制脳権」を奪われるリスクに直面する。両者の差は紙一重であり、ちゃんと選ぶ必要がある。

信頼できるエージェントの見分け方

筆者が考える、信頼できるエージェントの見分け方は下記の３点だ。

1. 明確な専門性がある（何にでも通じているわけではない）
2. それを裏付けるバックグラウンドや実績がある
3. 極論を言わない

1つ目の明確な専門性については、基本的なことだが重要である。経済や金融政策についての情報を集めたいなら、そうした分野を長く取材してきたジャーナリストや経済評論家をエージェント候補として見定めるべきだし、ジェネレーティブAIについての情報を集めたいなら、積極的に情報発信しているAIエンジニアやアメリカのテック事情に詳しい投資家をエージェント候補にすべきだ。あるいは、ウクライナ情勢やロシア軍・ウクライナ軍の戦略について知りたいなら、テレビや新聞でも見かけるようなロシア軍に詳しい専門家や安全保障を専門とする学者がエージェント候補になる。

近年は、「ｎｏｔｅ」や有料メールマガジンなどを通じて、ニッチな専門性も「発信」を通じて収益に変えやすい環境が整っている。このため、いくばくかのお金を払うことで、より質の高い情報に触れやすくなっている。前述したが、日本経済新聞社の記者だった人物が独立して、経済や金融市場の最新動向を発信する月額５００円のｎｏｔｅ有料マガジンを始めたところ、1年足らずで2万人以上が購読するようになった事例もある。同様に、

あらゆる分野に情報発信に積極的なエージェント候補が存在するはずだ。

２つ目のバックグラウンドや実績については、大学教授などの研究者であれば分かりやすいが、何らかのビジネスに関連する情報の場合は、実際に実業の前線に立つプレイヤーが優れた発信者であることも往々にしてある。逆に言えば、肩書が優れている人でも、バックグラウンドとは異なる分野で確かな情報を発信できるとは限らない。ＳＮＳでは、例えば一代で事業を成功させた上場企業の社長など、特定の領域で大きな成功を収めている人が、政治や社会情勢についてのニュースに極端なコメントをつけていたり、ときには陰謀論まがいなことを言っているケースすらある。彼らはその分野について専門家でも何でもない。肩書を置いておけば、知らないおじさんが居酒屋トークしているのと変わらない。**肩書の立派さではなく、その発信内容とその人のバックグラウンドや実績が合致しているか否かが信頼性を測るうえでは重要だ。**

そして、**最も重要なのは３つ目の「極論を言わない」という点である。**先に挙げた専門性やそれを裏付けるバックグラウンドは、多くの人が無意識に情報源としての信頼性のシグナルに利用している要素だろう。だが、その分野に通じていない私たちにとっては、その専門性やバックグラウンドを常に妥当に見極められるわけではない。そこで、**最終的にその発信者の「質」を見極める材料となるのが「極論を言わない人物かどうか」という点だ。**

例えば、投資についての情報を発信する人が紹介する「誰でも100%儲かる方法」とか、健康法についての情報を発信する人が「医者は絶対にカップ麺やコンビニ弁当を食べない」などと主張するケースは典型的な極論だ。**こうした言説を定期的に発信する人は、エンターテインメントとして消費する分には面白くても、情報収集のエージェントとして信頼性を欠く。**

先にも紹介した通り、SNSのプラットフォームは閲覧者の好みや関心を学習して、より好まれそうなコンテンツを表示するアルゴリズムが実装されている。**多くの人の注意を**

惹きつけやすい極論は、このアルゴリズムのしくみと相性が良い。穏当な発信よりも、極論的な発信のほうがクリック率が高く、動画の再生回数や記事のページビュー数も伸びやすいのだ。

言い換えると、極論的な言説は、発信者がプラットフォームのアルゴリズムに従属するあまり、読み手であるあなたの利益よりも発信者である自己の利益を優先していることを示す、重要なシグナルだ。その極論のテーマが仮に政治や戦争、コロナなどであれば、デマや陰謀論にさえ直結しかねないことは想像に難くない。

事実と意見の切り分けが重要

これら3カ条を踏まえて適切な「エージェントを見つける」ことができれば、**日々その人を通じて情報を受容し、取捨選択していくことになるが、ここで重要になるのが「事実**

と意見の切り分け」である。

暇つぶしの情報接触で、気持ちよくなるだけの情報「消費」ではなく、目的に沿って制脳権を侵されずに「確かなこと」を知るための情報収集であれば、時には自分の意見と異なる「見たくないもの」を見る覚悟も必要となる。人間は自分の願望に合わせて目にした事実を簡単に否定しがちだ。それを防ぐためには、目にした情報から意見を切り分けて、つまり発信者や自分自身の願望や予断を排除して情報に接する習慣づけが必要である。

それは、全ての発信者には、必ずバイアスがあるからだ。バイアスはあなたにもあるし、筆者にもある。「バイアスがない発信者」や「バイアスがないメディア」はツチノコと一緒で空想上の産物に過ぎない。そのような存在を信じるべきではない。

一見中立的に見えるメディアでも、まず記事として取り上げるネタを選ぶ段階で第一のフィルターを通し、そのネタを記事にして読者に意味を伝える段階で第二のフィルターを通す。それらのフィルターには必ず、何らかのバイアスがかかる。人間の価値判断が作用するからだ。だから、**他人やメディアからバイアスのない情報収集ができると思ってはいけない。**

だとすれば、**他人の情報に含まれる意見は「意見」として受け止めたうえで、事実は事実として取り出すスキルが必要となる。**人間いろんな意見の持ち主がいて、多様性があるということを前提に置かなければならない。そして、それら多様な意見を否定せず一旦意見として受け止めたうえで、事実と切り分けて解釈することができる心持ちが必要である。

政治家やテレビの論客、あるいはＴｗｉｔｔｅｒで極論を言い散らかすインフルエンサーのように、異なる意見を完膚なきまでに否定し、ぶっ潰すスタイルを真に受けて自分の情報収集に反映するとろくなことにならない。**他人の異なる意見を尊重し受容することは、単なるマナーや学校の先生のお題目ではなく、情報収集において必要なスキルである。**

「両論併記」が公平、公正とは限らない理由

「事実」と「意見」を切り分けて情報に接する重要性を説明するうえで、避けては通れないのが**「両論併記」の罠**である。

ロシアのウクライナ侵攻をめぐる「情報戦」をテーマにしたある番組で、筆者はロシア国営メディアのある記者と共演して議論する機会があった。

そこで、事前にこの記者が執筆した過去の記事や、他のメディア取材に応じた際の発言を見直したところ、記者が「ロシア国営メディアに所属する者」としてのスタンスと「在ロシアのジャーナリスト」というスタンスを使い分けて発信していることに気づいた。

一体なぜだろうか？

取材時のやりとりのあやで偶々《たまたま》そうなっただけなのか、それとも本人が意識して使い分けているのか。どちらなのかはこのケースでは非常に重要なポイントだ。後者ならば、視聴者はこの記者の「ジャーナリスト」としてのスタンスに、事実に立脚し、その裏付けのもとで発信する職業倫理を期待し、一定の信頼を置いて発言を受け止めるだろう。だが、前者であれば、視聴者はこの記者の発言をロシア政府に都合のいい発信やプロパガンダに立脚した主張がなされるものと警戒するだろう。

そこで、私はこの記者にストレートに聞いてみた。「あなたはロシア国営メディアの記者という肩書で番組に出演しているが、きょうのご自身の発言のスタンスは『ジャーナリスト』としてのものなのか、それともロシア政府の主張を伝える『活動家』『インフルエンサー』なのか」と。

残念ながら、これには明確な答えは得られなかった。だが、記者は、ロシア国営メディアに執筆している記事でも「署名記事」は自分の名前を出して、自分の見解として書いているので、その責任は負っていると述べた。ロシア国営メディアはあくまでロシア政府のメッセージを伝えるのが基本的なスタンスだが、自分の「署名記事」はジャーナリストとして責任を負って書いていると言いたかったのかもしれない。

この回答には、率直に言って非常に驚いた。

この記者の署名記事の中で、２０２２年に発生したウクライナ・マリウポリでの劇場爆発事件は「ロシアの爆撃ではなくウクライナ側の自爆によるものだった」とか「ロシアによる爆撃だというのはフェイクニュースだ」という、**「現地の人」の主張が無批判、無検証に紹介されていたからだ。**

ちなみに、問題の記事では「現地の人」の主張はあくまでその人物の発言としてカギカッコつきで引用する形がとられていた。要は、記事を書いた記者自身の見解ではなく、あくまで証言した現地の人の発言であると言いたいのかもしれない。

ただ、一般にまっとうな職業訓練を受けたジャーナリストであれば、**ニュース記事の作法として、登場人物の発言が事実に基づかない恐れがある場合、それを無批判、無検証に記事に書き込むことはまずない。**発言が単なる引用であったとしても、その内容に裏付けがない、不確かな情報が含まれる場合はそう分かるように紹介したり、記事内で批判的に注釈をつけたりすることが一般的だ。それが正確な情報を期待する読者に対して最も誠実な対応だからである。

このことを記者に質《ただ》したところ、記者は「所属するロシア国営メディアはロシア政府の立場を発信する媒体であり、読者はその前提で見てもらえればいい」「西側メディアもウクライナ側の立場に偏った報道をしている」「その内容の是非は読み手が自分で判断すればいい」といった趣旨の説明もしていた。だから問題ない、と言いたかったのかもしれないが、やはり問題である。

報道機関やジャーナリストの体裁をとりながら、読者にどこまでが事実でどこからが嘘か分からないような状態で情報を提供する姿勢は、ジャーナリストとしての職業倫理に悖《もと》るからだ。

より身近な例を挙げて説明したい。

2022年に起きた安倍晋三元首相の銃撃事件をめぐっては、現場で取り押さえられて現行犯逮捕された山上徹也被告について「実は真犯人ではなく、複数のスナイパーが別の場所から安倍氏を銃撃した組織的な事件だ」という陰謀的なデマがある。これは、様々な検証を通じて明確に否定されている説であり、もちろん裏付けのとれる根拠は何らなく、事実ではない。

だから、仮に、コメントを求められた関係者や専門家が取材に対して「これは複数のスナイパーの犯行を単独犯に偽装した事件かもしれない」などと想像を口走ったところで、それに裏付けとなる根拠が全くない状態では記事には載らない。それがジャーナリストの普通の判断だからだ。

だが、それでも日本の「ネット世論」の中では、ロシア側の主張とウクライナ側の主張を「両論併記」で並べて伝えるのが公平であるとか、安倍氏銃撃現場に複数のスナイパーがいるとする説を**無視して伝えない日本の報道機関は偏っている、といった指摘が時折見られる。**

この指摘は失当だ。

両論併記によって公平性を保つべしという話はあくまで「意見」と「意見」の対立がある時の作法であって、「根拠のある事実」と「嘘」を併記すべきというものではないからだ。嘘と分かっているプロパガンダやデマを、事実と一緒に並べて吟味する意味はない。

吟味するとしても、せいぜい、なぜそんな嘘を流すのか、発信者の意図を推し量るくらいのことだろう。

「両論併記」や報道の「公平性」という言葉は実に便利であり、特に報道を批判する時に使いやすいものだ。

「A」という意見と「B」という意見があれば両方ともしっかり伝えるのが報道としての筋だと指摘するわけだ。一見、実に正しそうに聞こえる。だが、ここで言う「両論併記」には大きな罠がある。

裏付けをもって確かにあったと言える出来事を「事実」として、それを前提に共有したうえで異なる2つの「意見」を戦わせることはもちろんありだ。だが、**前提となる「事実」がなく、そもそも間違いや嘘である場合はどうだろうか。**この場合の「両論併記」なるものは相違する2つの意見の対立などではなく「嘘をもとにした意見A」と「事実をも

とにした意見B」の違いでしかない。この状態で、

・「嘘をもとにした意見A」と「事実をもとにした意見B」を両論併記と称して伝える報道機関

・「事実をもとにした意見B」だけを伝える報道機関

のどちらがまともかは、火を見るより明らかだろう。

残念ながら、ウクライナ侵攻をめぐるロシア国営メディアの報道やそれを支持する発信には、この「両論併記」の体裁をとったフェイクニュースとも言える虚偽の発信が目立つ。例えば「西側は、○○の被害はロシアの攻撃によるものだとしている」が「ロシア軍は、ウクライナ側の攻撃によるものだとしている」といった具合である。ここで、後者の嘘や根拠のない主張を見抜けず両論併記の罠にはまると、嘘をもとにした意見、主張にも説得力を感じてしまうわけだ。

人間はやはり、自分の意見に近い人の主張には説得力や共感を感じやすい。だから「最

図表24 「両論併記」とは何か？

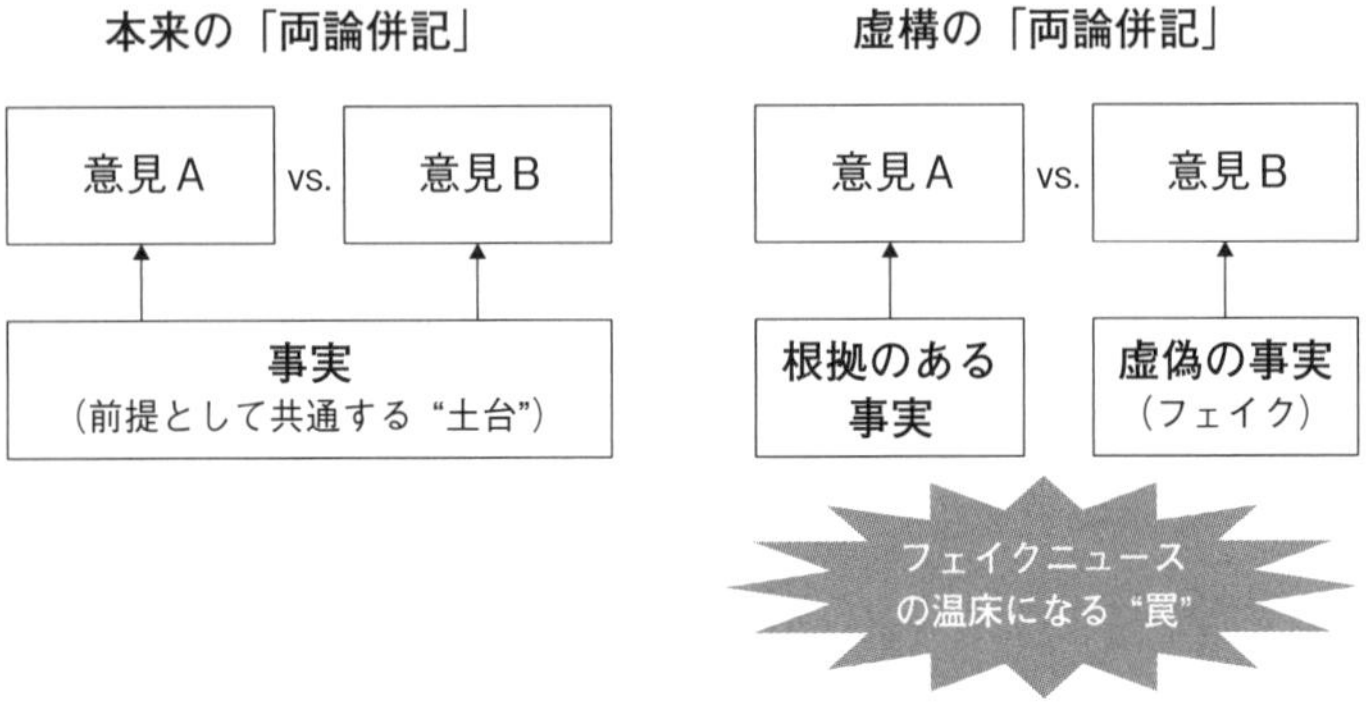

近の報道は信用できない」という意見を強く持つ人は「『両論併記』しない報道はおかしい」という意見に引きずられて、フェイクニュースの毒牙にかかるリスクに直面する。あるいは、欧米や「西側」の主張に反感を持つ人は、ロシア側の意見にも耳を傾けて支持したくなる。その意見に肝心な「事実」の裏付けがあるかどうかを確かめもせずに、である。

ここに「事実」と「意見」を切り分けて情報を解釈することの重要性があるのだ。

従来は、異なる2つの立場や意見がある時、その両方にバランス良く接するのが良いと言われていた。そうした心構えを学校でメディアリテラシーとして教わった読者の方も多いだろう。その感覚を報道する側にも求める意味で「両論併記」こそが公平、公正な報道のあり方だという価値観は社会に根強くあるように思う。

だが、これは社会に流通する情報量が今よりも圧倒的に少ない、新聞中心のニュースの時代のメディアリテラシーであり、お作法だ。今は古くなっている考え方だと言わざるを得ない。

情報が爆発的に増えた、デマとフェイクニュースの時代においては、まず対立する２つの情報がある時、その情報に含まれる「事実」と「意見」を切り分けて、「意見」が根拠のある確かな事実に基づくものなのかどうかを自分なりに吟味する必要がある。**バランスよりも何よりも先に、まずは「事実」と「意見」の切り分けが優先されるべきだ。**

そうでなければ「虚構の両論併記」を真に受けて、うっかりフェイクニュースやその背後にある発信者の意図、プロパガンダに自分の脳を支配されるリスクが高まる。本稿では多くの人に分かりやすい例としてロシア国営メディアの報道などを引き合いに出したが、あらゆる企業や個人の発信を受け止めるうえでも全く同様に必要な心構えである。

情報収集をするうえで「事実」と「意見」を切り分けて、**いかに確かな事実に基づかない意見を自分の認知領域から排除できるかが重要な時代になっている。**「バランスの良い情報収集」とか「両論併記的な報道」を求めるのは、その後でいい。

情報は発信することでより集まってくる

情報収集を突き詰めると、最終的には、その成果を積極的に発信することで、より質の高い情報を集めるという手段がとれるようになる。

情報は、発信することでより集まってくる。新聞社やテレビ局、あるいは「文春砲」でおなじみの『週刊文春』のようなメディアがその典型例だ。取材対象者は、記者とその背景にいるメディアの発信力に期待して情報を提供するからだ。筆者自身も、２０１７年以降、全国の報道機関と選挙の情勢調査をテクノロジーで革新する取り組みを始めたことで、単なる報道ベンチャーとしてではなく「調査機関」としての認知度が急速に高まり、それによって政治を取材するジャーナリストや政界関係者のネットワークにアクセスできるようになった。その結果得られた情報は、調査を企画したり、新しい選挙報道を考え組み立てたりするのに大いに役立っている。

最初の段階では公開情報を中心に渉猟するしかない情報収集も、その成果を発信して人的なネットワークを構築する段階まで到達できれば、情報収集の質と量が一段上がる。オンラインで公開されていない、デジタルになっていない情報にアクセスできるようになることの価値は大きい。そうして、より情報を広く発信することで、あなた自身が誰かのより良い情報収集を助けるエージェントになる――そんなサイクルができれば「良いインターネット」により近づくのではないだろうか。

「良い」情報収集をするのは極めて面倒で負担が大きい時代

ここまで「情報爆発」に直面する現代において、あるべき情報収集のスキル、マインドについて述べてきた。既にお気づきの通り、情報は溢れかえっているだけに入手すること自体は簡単でも、**「良い」情報収集をするのは極めて面倒で負担の大きい時代になっている。**

こだわる領域をある程度絞ったうえで、信頼できるエージェントを見つけて、そこから情報を得る習慣を作る。事実と意見を切り分けて、極論を押しつけないエージェントを選んでいく。そして、その収集の結果生まれた成果は世に発信をしていく。それにより、更に情報が集まる状態を作る。**これが、情報爆発時代の情報収集の最適解である。**

第10章

質の高い情報収集を習慣化するためのTIPS

情報収集をより楽に、効果的に行うために

このような情報収集の好循環を作るうえで重要なのは、やはり習慣化である。習慣化とは、毎日なるべく苦なく続けられるようにしくみを作るということだ。質を担保する分、深く、エネルギーを要する情報収集が必要となるが、それが苦になって三日坊主で終わっては意味がない。成果につながるまで長期間継続できるよう、あらゆるハードルを除去しなければならない。

そのハードル除去の観点で、情報収集をより楽に、効果的に行うためのTIPSをいくつか紹介したい。

1つ目は、選んだエージェントからなるべくリアルタイムに情報を集めるためのしくみを作ることだ。エージェントは前述の通り、個人かもしれないし、何らかの専門的な媒体

かもしれない。彼らはＴｗｉｔｔｅｒやＦａｃｅｂｏｏｋのようなＳＮＳを使っているとは限らない。ＹｏｕＴｕｂｅかもしれないし、ｎｏｔｅやメールマガジンを活用しているかもしれない。あるいは論文の投稿、マスメディアへの出演などで完結している可能性もある。情報収集の手段は、これら情報を発信する側の手段にも相当従属するため、万人に同じしくみを提案することはできないが、筆者は主にＴｗｉｔｔｅｒを中心としたしくみを作っている。リアルタイム性に優れているためだ。参考までに、そのしくみの一端を紹介したい。

Ｔｗｉｔｔｅｒのリスト機能を活用する

筆者が「ＡＩ」「スタートアップ」「選挙」「報道業界」「国際政治」などの分野で特に重点的に情報収集していることは既に述べたが、これらの分野で筆者が見定めたエージェントには、Ｔｗｉｔｔｅｒで積極的に発信している人物、媒体が少なくない。このため、エージェントのアカウントをＴｗｉｔｔｅｒの「リスト」機能を使って取りまとめている。Ｔｗｉｔｔｅｒは基本的に、発信者を「フォロー」をすることで情報を集めるしくみだが、情報収集において重視すべきテーマを絞り込み、掘り下げるという手法にはフォロー機能は不向きだ。あらゆるジャンルの投稿が1本のフィード（投稿が縦に並ぶ一覧画面）にまとまってしまうからである。また、ＴｗｉｔｔｅｒにはＳＮＳとしての性格もあるため、コミュニケーションや人間関係の維持の観点で知人、友人をフォローするケースもある。これらが1本のフィードに混ざると、テーマを絞った情報収集としては使い勝手が悪くなり、習慣化を妨げる要因にもなる。このため、筆者は**リスト機能を積極的に活用している。**ちなみに、リストは他の人からは見えない「非公開」の状態に設定することもできる。

フォロー機能を使わない理由には、Ｔｗｉｔｔｅｒを含むＳＮＳのフィードがアルゴリズムの影響を強く受けるという点もある。Ｔｗｉｔｔｅｒには何種類かのフィードがあるが、主に使われる「おすすめ」（For you）フィードは、フォローしていないアカウントの投稿も含めて流れてくるしくみになっている。これは、Ｔｗｉｔｔｅｒがユーザーにとって面白い投稿をフォロー対象外のアカウントから紹介することでTwitterの利用をなるべく定着させるとともに、滞在時間を引き延ばして広告収益の強化につなげたい意図があるからだ。ユーザーに閲覧データに基づいて新鮮なコンテンツを提示することで、広告収益を引き上げるという取り組みはFacebookやYouTubeなどあらゆるプラットフォームで行われており、Twitterも例外ではない。なお、Twitterのアルゴリズムはユーザーがよく見ているアカウントや投稿に近いがまだフォローしていないアカウントの投稿も多数拾ってくるため、時に新たなエージェントの発見に役立つこともある。そのため、あるテーマについて情報収集し始めた初期の段階ではアルゴリズムの活用も悪くないが、適切に絞り込んだエージェントからリアルタイムに情報を得る段階では微妙な仕様であり、相対的に使いやすいリスト機能活用のほうに落ち着いている。

こうして収集する情報の中には、英語や中国語、ロシア語など、外国語の情報が混ざることも多々ある。テーマによっては、そもそも日本語圏だけでは情報が少なく、グローバルに情報を集めたいものもある。そのために筆者がフル活用しているのが、AIによる機械翻訳サービス「ＤｅｅｐＬ」だ。

翻訳サービスＤｅｅｐＬをフル活用

ＤｅｅｐＬは、従来の機械翻訳サービスと異なり、ＡＩが自然で読みやすい訳文を提示してくれることが特徴だ。元の文章の文脈を適切に解釈して、良い意味で翻訳らしくない訳文を示してくれる。また、海外の企業の決算資料や英語の論文、レポートなどのＰＤＦデータを取り込むと、レイアウトはそのままで自然な訳文に変換してくれる機能もある。このため、筆者はＤｅｅｐＬに課金し、ブラウザに拡張機能をインストールしてフル活用している。

ＤｅｅｐＬを活用すると、例えばニューヨーク・タイムズやフィナンシャル・タイムズのような英字紙のニュースサイトも、日本国内の日本語ニュースサイトとほぼ同じような感覚で閲覧することができる。英語が得意な人でも、基本的には母国語×ＤｅｅｐＬで情報収集するほうが圧倒的に効率が良いのではないだろうか。筆者がある会で同席した、国際政治を専門とする著名な大学教授も、同様に**グローバルな情報収集にDeepLを活用していると述べていた。**

外国語の情報を日本語で集める方法としては、ＣｈａｔＧＰＴに代表される大規模言語モデル（ＬＬＭ）の活用も便利だ。本書の執筆時点では、ＣｈａｔＧＰＴは２０２１年までの情報しか反映していないが、それ以前のことを調べて整理するには、ＣｈａｔＧＰＴは極めて優秀なしくみである。進化の速度が速く、本書が書店に並ぶ頃には相当古くなっている恐れがあるため詳細は別の機会に譲るが、情報を検索で調べきれない時に、自然文で質問する形で情報を整理しながら集められるツールは過去にない。

ＣｈａｔＧＰＴ活用上の注意点

ＣｈａｔＧＰＴを活用するうえで、本書執筆時点（２０２３年５月）で注意すべき点としては**「知らないことについて大胆な嘘をつく」ケースがままあることだ。**例えば、ある場所でおすすめの飲食店を質問すると、実際には存在しない飲食店の名前を挙げて回答するなど、知らないことを知っているように創作してくるケースがままある。こうした現象を「ハルシネーション」（＝幻覚）と呼ぶが、現時点では調べ事の取っ掛かりに活用するとしても、回答内容をそのまま鵜呑みにせず、補完的にＧｏｏｇｌｅや各種データベースで点検的に調べ直す作業は欠かせない。誤った情報を鵜呑みにして実害が出ても、ＡＩは責任をとってくれない。

習慣的にフローで得た情報は、ストックすることも欠かせない。特に覚えておきたいこと、**活用したい情報は常にメモなどで記録することが必須だ。**記録やメモの重要性については、梅棹忠夫の『知的生産の技術』など良書が多数あり、本書で改めて説明することはしないが、ＴｗｉｔｔｅｒやＷｅｂを通じてリアルタイムにフローで得た情報をどう蓄積すべきかという点で、筆者なりの最適解を説明したい。

記録ツール「Ｎｏｔｉｏｎ」とメモ帳アプリの組み合わせ

筆者は、**記録ツールとしてドキュメントツールである「Ｎｏｔｉｏｎ」と、一般的なメモ帳アプリを組み合わせて活用している。**情報収集で少し気になった点、気づいたアイデア等はメモ帳アプリに一時的に記録し、ある程度まとまったらＮｏｔｉｏｎにまとめ直すのだ。

Ｎｏｔｉｏｎは、図表やＰＤＦ、Ｗｅｂページなどあらゆるデジタルデータを統合的にドキュメントにまとめて管理するのに優れている。また、ドキュメントを「親子」の関係で管理できる点も重要だ。例えば筆者の場合は選挙に関連する情報収集も行っているが、「選挙」という親のドキュメントの下に「衆院選」「参院選」「地方選」などと子のドキュメントをぶら下げる形で管理できれば、後から記録を探し出すうえでより便利である。筆者は**仕事や個人としての情報整理に限らず、プライベートでも、夫婦での決め事や相談事項、重要な契約書などをＮｏｔｉｏｎで共有して管理している。**

ハイスペックのＰＣを情報収集の中心に

最後に挙げたいＴＩＰＳは、できれば**スマートフォンではなくＰＣを中心に情報収集することと、そのＰＣは起動が迅速でメモリが多い（16ＧＢ以上）端末を使い、読み込みが速く軽快なブラウザを使用すること**である。

筆者の周囲では、20代前半までの世代はＰＣよりスマートフォンのほうが入力などの操作に慣れている人が多い。そのために「スマートフォンは常に最新機種に更新しているが、PCは長年ロースペックの端末を使っている」という人もいる。筆者もスマートフォンのほうが手近で使いやすいため、習慣的な情報収集がスマートフォンで全て完結できるならぜひそうしたい気持ちはある。

ただ、スマートフォンではSNS投稿やWebページを見るだけならまだしも、目的を持った情報収集をするうえでは様々不足している点も多い。例えば外国語の記事をDeepLで翻訳しながら閲覧するとか、情報収集にあたって気づいたことを適宜メモ帳アプリやNotionに記録するといった際、それを1クリックで助けるブラウザの拡張機能がスマートフォンでは利用できなかったり、あるいは各ツールのスマートフォン用アプリに機能が不足しているケースが多い。

テーマを決めて、リアルタイムに情報収集をして成果につなげていくうえでは、**習慣化を妨げるハードルをなるべく排除したい。**遠くない将来、スマートフォンのほうがツールが出揃って情報収集しやすくなっている可能性は大いにあるが、**現時点では同じツールでもPCのほうが様々な点で機能が充実している点は否めない。**

新しいツールに触れること＝長期的な未来にベットすること

ここまで、筆者の情報収集における活用ツールの紹介をしてきたが、ひとつ断っておきたいことがある。それは、例示したＴＩＰＳやツールがあくまで筆者個人の手になじむ方法に過ぎない、ということだ。あくまで筆者自身の現時点での最適解の中から、一般的に多くの人が同様に活用し得るものだけをピックアップして紹介している。

したがって、あなたにはあなたの目的や時間の使い方により合った別の方法論やツールが必ず存在する。そのうえで共有したい**基本的な大前提は、新しいツールを積極的に取り入れて試してみることの重要さだ。**

情報収集とは、言い換えれば「まだ知らない新しいことを知り、自分の仕事や生活の様々な意思決定に活かすこと」である。新しいものに対して興味や関心を持てず、行動を起こせないのであれば、積極的に情報収集する意味はない。

振り返ってみれば、ＰＣやインターネットも、初期の普及時には「画面の中に儲かる話はない」とか「使うとバカになる」という主張が識者の間でも横行していた。スマートフォンやＳＮＳも同じである。それらがいずれも、ビジネスや生活の中での必需品になっている今振り返ると実にバカバカしい話である。だが、なぜか歴史は同じことの繰り返しだ。最近ではＣｈａｔＧＰＴも「子どもに使わせると思考力が弱くなるので12歳までは禁止にすべきだ」といった主張を唱える識者が現れて話題になった。

だが、ＰＣやネット、スマートフォンも、ごく初期の段階からその後、長期的に社会に普及していくことはある程度予想されていた。

半年、1年後に自分の仕事や生活にどう役立つかはイメージしきれなくとも、5年後、10年後は皆使っているだろう、そしてもっと便利になるだろうと予想できるものは多い。ChatGPTに代表されるジェネレーティブAIも、本書執筆時点ではリリースから5カ月ほどしか経っていないが、既にただ質問するだけでなく、プログラミングを手伝ってもらうなど仕事のパフォーマンスを引き上げる活用法を生み出し、使いこなしている人が多数いる。長期的に見て、ツール自体もその活用法も大きく発展する方向であることは間違いないだろう。

長期的に間違いない方向にベットすることは重要だ。そして、新しいツールに積極的に触れて、試していくことは、**常に長期的な未来にベットすることでもある。**このことを、細かなTIPSの前提にある大きな考え方として共有したい。

※本書で記述した情報、データは2023年5月末時点のものです。
各種システムやサービスなどの最新の動きにはご注意ください。

● JX 通信社オフィシャルサイト

https://jxpress.net/

● Twitter

米重 克洋

@kyoneshige

NewsDigest ニュース・地震・災害速報

@NewsDigestWeb

※都合により予告なく内容が変更されることがあります。

米重克洋（よねしげ・かつひろ）
1988年（昭和63年）山口県生まれ。聖光学院高等学校（横浜市）卒業後、学習院大学経済学部在学中の2008年に報道ベンチャーのJX通信社を創業。「報道の機械化」をミッションに、国内の大半のテレビ局や新聞社、政府・自治体等に対してAIを活用した事件・災害速報を配信するFASTALERT、600万DL超のニュース速報アプリNewsDigestを開発。他にも、選挙情勢調査の自動化ソリューションの開発や独自の予測、分析を提供するなど、テクノロジーを通じて「ビジネスとジャーナリズムの両立」を目指している。AI防災協議会理事。

シン・情報戦略《じょうほうせんりゃく》
誰《だれ》にも「脳《のう》」を支配《しはい》されない
情報爆発時代《じょうほうばくはつじだい》のサバイブ術《じゅつ》

2023年7月3日　初版発行

著者／米重《よねしげ》 克洋《かつひろ》

発行者／山下 直久

発行／株式会社KADOKAWA
〒102-8177　東京都千代田区富士見2-13-3
電話 0570-002-301（ナビダイヤル）

印刷所／大日本印刷株式会社

製本所／大日本印刷株式会社

●お問い合わせ
https://www.kadokawa.co.jp/（「お問い合わせ」へお進みください）
※内容によっては、お答えできない場合があります。
※サポートは日本国内のみとさせていただきます。
※Japanese text only

定価はカバーに表示してあります。

ISBN 978-4-04-605735-8　C0030